JN119628

地方都市の生存戦略

大牟田のこれからのまちづくり

原尻英樹
Harajiri Hideki

梓書院

地方都市の生存戦略

——大牟田のこれからのまちづくり

この本の読み方と使い方について　――まえがきに代えて

この本の目的は、現状理解に基づいて、今後のより良い大牟田のまちづくりを明らかにすることにある。読めば読むほど、ここで書かれてあるようなまちづくりはほとんどされてこなかったことが実感されるだろう。しかし、やる気があれば、今後どうにでもなる。計画とそれを実行するやる気があれば、いかようにも、日に日に大牟田を良くすることができるのだ。

主役は我々

正直に言ってしまえば、市役所について考えると、誰しもその現状についてあまり期待できることはない、と思うだろう。しかしものは考えようで、これまで期待できなかったならば、これからやればいいだけである。それは我々大牟田市民の一人一人が、自覚をもって努力して推進していけば、可能になる。そして、それなりの成果が生まれれば、実行している人々の自信になり、もっとやろうというやる気につながっていくだろう。この大人の姿勢を子どもたちが見れば、自分たちもできるんだ、やろうという気持ちになるだろう。このようないい循環が生まれるようにするための方策が、この本には書かれている。

そして、我々が実績を積みあげていけば、それによって行政側も認めざるを得なくなる。そうなのである、実績をどんどん我々の手で積み上げていくこと、これが重要である。最初から行政に対して期待せずに、行政をどうすれば利用していけるのかという戦略を立て、それに基づいて実践していく。それは一人でするのではなく、仲間と協力してやっていくのだ。そして、みんなで達成していく。本作の内容に即し、上内を中心とした農村地区でそこにおける伝統文化を学びながら、地道な農業についても学び、実践していく。苦労も多少あるかもしれないが、これは楽しみでもある。作物ができれば、苦労を忘れてしまうほどの喜びになるだろう。本文でも書いているように、何の経験もない人でも構わない。すべてが初心者であり、私自身も初心者なので、私もゼロから学んでいく。皆さんも、一緒に学びましょう。

もちろん、現状を知れば知るほど、「これではダメだ」と思われるだろう。現状に問題があるから、これからを良くするのであり、何の問題もないならば、努力する必要もない。我々の未来のために、今の問題があると考えれば、やる気が起こるだろう。そのやる気が大切なのだ。この気持ちを胸に、この本をお読みください。

＊目　次

この本の読み方と使い方について　―まえがきに代えて　2

序章　大牟田って、どんなところですか？……7

私にとっての大牟田

第一章　三川の大水が意味する、大牟田市役所の役割……17

ポンプ故障などしていない／市の説明会：ガス抜きのため／何の対策をしたのか具体的な報告なし／水害についてのまとめ／三池争議と炭じん爆発からの教訓／大牟田の与論島出身者／ルール無視が常態？

第二章　現代日本の地方自治で何が必要なのか？……51

我々が直面している問題とは何か／日米戦争はなぜ起こったのか／アメリカの国際金融資本家／アメリカによる日本支配

目次

第三章　日本における食の状況……73
世界で最も食糧事情が悪い国は日本／農林水産省の動き／農薬の恐怖／日本漁業の根本問題

第四章　大牟田の農業について……95
上内から始まる農業実践／大牟田人の気質／農業のやり方を学ぶ／浄水場ではなくならない家庭排水

第五章　フランスの少子化対策……109
フランスから学ぶ日本官僚／フランスの社会背景：男女平等は当たり前／3歳からの教育が当たり前のフランス／フランス人女性は身体をコントロールする権利をもっている／フランスから学べることは何か

第六章　少子化対策の失敗と今後の対応方法……125
未婚者の増加をどうするか／日本における少子高齢化対策失敗の理由

地方都市の生存戦略

第七章　今の日本の教育事情　141
自分がどういう教育を受けたか考えてみよう／英語の学び方／独学と先生からの学び／生活の仕方に出る教育のあり方／自分の身体は自分でつくる

第八章　日本の教育の歴史　161
精神重視の近代での身体の役割／企業戦士育成のための教育／教育委員会の人事

第九章　現代教育の問題と今後の教育　181
多様性と一貫性の教育／教育委員会の本当の役割

文献紹介　200
あとがき　206

【序章】大牟田って、どんなところですか？

大牟田の人々からすれば、大牟田とはどんなところなのか、わざわざ話さなくてもよいと思われるかもしれない。しかし、もちろん、大牟田以外の人には説明が必要だろう。また、我々も今いる大牟田について最初に理解しておく必要がある。

私にとっての大牟田

大牟田と言っても、場所によって違いがあるし、生きている時代でも違いがある。よって、ここでは筆者が思っている、感じている大牟田について書くことにする。たった一人の思い出かもしれないが、そのたった一人に、大牟田全体が意味を与えていることもあるだろう。いろんな人が大牟田をどう思っているのかを描こうと思っても、なかなか個人ではできないので、こんなやり方しか思いつかない。

私は、毎週福岡の方に行っており、福岡の人と毎週会っている。そこで、頻繁に「大牟田から遠いですね」だとか、「大牟田から福岡まで大変ですね」と言われる。大半の人々は、西鉄電車で1時間少しで大牟田から福岡に行けるなどとは思っていないし、電車で大牟田から来るということも考えたことがない。つまり、大牟田は福岡とは別の遠くにあるところと思われている。実際は、大した距離もなく、簡単に来ることができるのであるが、そのようなイメージにはなっていない。大牟田に行ったことのある人は限られているため、それ以外の人々からすれば、福岡の南のはてにある、もともと炭鉱のまちが大牟田である。

という訳で、福岡市の人々にとって、大牟田は縁遠いところになっている。このイメージには相当な歴史があるだろうから、そう簡単に見方が変わることはないだろう。もちろん、これらの人々は大牟田の大蛇山（だいじゃやま）などについて何も知らない。そんな祭りがあることさえ知らない。大蛇山の祭りを知っているのは、柳川よりも南から熊本県の南関町あたりに住んでいる人々になるだろう。実際、大蛇山祭りのときに他所から来る人は、この範囲にいる人々であり、久留米からも福岡からも人はほとんど来ていない。

大牟田は他所の人からあまり関心を持たれておらず、大牟田は大牟田で生まれた人だけが暮らしているところになるだろう。私は、保育園の聖光園、上官小学校、延命中学校、三池高校の卒業生で、九州大学に入学したが、大学生のときにはほとんど大牟田に帰ってこなかった。私の大牟田体験は18歳までであり、その後、2年前に帰ってきてからの2年間が生活期間になる。大牟田についての印象は、18歳までに限定されており、大人になってからは大牟田で生活していない。

私が大牟田にいた頃は、まだ工場が稼働中であり、大牟田川はドブ川で悪水川とよばれていた。公害都市であった。私は毎日のように、こんな公害都市は我々の生活を破壊するものだと思って、かなり批判的であった。私の住んでいた家の前が工場だったので、毎日もうもうと上がる煙を見ながら、このような公害はどうしたらなくせるのかと、いつも考えていた。自分は公害をなくすために生きようと思っていた。

私が小中学生だった当時、小学校校区ごとに住んでいる人の種類が違っていた。上官小学校の七浦では、失対さんと呼ばれる、失業対策事務所に通う人々がかなりいた。大牟田には、炭鉱夫だけでなく様々な労働者がおり、上官小学校校区では、最下層の労働者層も多く暮らしていたのだ。よって、小学校の全校児童の50％以上が生活保護世帯であり、貧乏な人のパーセンテージが相対的に高かった。私はこのようなところにいたのであるが、米生中学校校区のような炭鉱住宅はなく、炭住のなかでのお互いの助け合いなどといったものもなかった。しかし、上官校区では、それなりの相互扶助が当たり前であり、子どものソフトボール大会などでは地域のまとまりがよく発揮された。恐らく、炭住のある地区と比べると、私の住んでいた隣近所の関係にはそれなりの距離があったのだと思う。失対さんの生活においては、個人個人バラバラでありながら、それなりの近所づきあいが必要だったのであろう。かつて私の近所に暮らしていた人で、今どこにいるか分かる人はほとんどいない。これはいわゆる貧乏所帯の多いところでは大概そうだろうが、当時の人と今誰も付き合いがないのは、寂しい感じがする。

学校についてはほとんど何も覚えていないが、上官界隈のことはいろいろと覚えている。みんな実直でウソのない人々だった。これは大牟田全般に言えるだろうが、ここの人々は、他所から来た人だからといって特別な対応はしない。こっちにいる人も向こうから来た人もみんな平等対等であって、分け隔てなく、誰とも関わる。一般的な伝統社会では、ウチの人と他所の人の区別があったりするが、当時大半が他所から来た人々で構成されていた大牟田においては、そのような区別はあまりされなかった。他所からの人々にとっては、大変心地良いところだっただろう。

正直に言うと、私は今と違って、高校生の頃は大牟田を嫌っていた。ここから出たら、二度と帰ってくることはないと思っていた。これにはいろいろと理由があるが、一つは、深い話ができる同級生や大人がほとんどいなかったことが挙げられよう。私の通っていた延命中学校では、毎年ラサールに10人、久留米大学付設高校に30人ほど合格していた。公立でこれだけ名門校に合格できたのは、小宮補習会、小宮塾などの塾があったからであるが、通常は日本全国でもほとんどあり得ないことだろう。私は中学校の時から学問志向があり、新書などを読んで、学問的に考えることを習慣化していたが、このようなことに関心のある者はあまりいなかった。しかし、住んでいる地域があまり学問的ではなくても、ある程度論理的な話を同期生とできたので、中学校まではそれなりにうまくやっていたと思う。

確かに延命中学校は特別な中学校であった。この中学校には、上官小学校、笹林小学校、それに不知火小学校から子どもが来ていた。私が驚いたのは、不知火小学校からの生徒が全員東京弁をしゃべっていたことだ。恐らく、大牟田市内でこんな小学校はここだけだっただろう。不知火小学校の校区には、正山町、浄真町があり、ここは三井の上役が住んでいた地区である。親が東京から来た人々だったので、子どもにも東京弁を話させており、小学校でもそれが普通になっていたのだろう。よって、上官小学校、笹林小学校出身者は大半が東京弁に影響され、話し言葉が東京弁化していた。しかしながら、私は方言をしゃべるのが当たり前であって、東京弁はしゃべるべきではないと思っていたので、中高で一貫して東京弁はしゃべらなかった。

延命中の同期には優秀な人間がいたので、毎日勉強になった。恐らく、延命中出身は私にとって生涯の財産だろうと思う。たったの3年間であるが、生涯に響く影響があったのである。大学進学も考えたうえで、三池高校に進学した。この学校は、正直なところ、中学校と比べると生徒に覇気のない感じがした。大半の生徒は、九大ぐらい行ってやるんだという感じではあったが、ただ大学に行くことだけが目的のように見えた。一種、受験予備校的な感じがしたので、私はどうしてもなじめなかった。そのうえ話の合う人間がいなかったことも災いして、高校3年間は、あまりいい記憶がない。私は、大牟田を早く出ようと思っていただけのようだった。

一浪して九大教育学部に入学した。これから本番の学問ができると思うと、毎日が楽しくなってきた。それとともに、大牟田についてはほとんど考えることがなくなった。大牟田について考えだしたのは、大学、大学院、ハワイ大学留学、日本帰国、大学教員生活の開始から、ずいぶんと時間が経ってからである。今にして思うと、きっかけは壱岐などの九州の島々のフィールドワークだったと思う。大牟田弁ができたので、それをもとにして、壱岐などの調査を行った。その内実は、壱岐の伝統文化とは何かについてであった。九州弁ができないと調査はできないので、自分が大牟田出身であることが大変有利だと思ったのである。

そうこうしているうちに、いくつか大学も移り、定年退職後のことを考えることになった。私はどこに行ってもずっと借家住まいであったが、定年退職後は、自分の家に住もうと考えた。そのとき、大牟田に帰ろうかと思い立った。それまではあまり考えなかったのであるが、なぜかこの時、自分が大牟田出身であることは死ぬまで変わらないと思ったのだ。今では大牟田の松屋（デパート）もなくなり、昔の風情は随分となくなってしまったが、定年退職後は、大牟田の人間としてこれまでとは違った人生を過ごすのも面白いと思った。そして、もともとは、大牟田の公害をなくすことが自分の使命だと考えていたことを思い出した。今では昔のような公害はなくなっているが、人口は10万人に減り、大牟田も元気がなくなってきたので、大牟田に帰ったら大牟田を元気にしようと思った。

大牟田に帰ってきて、これだけは書いておかなければならないと思うことがある。中学校の同期でやや知的な障害があり、しかも家が貧乏だったYのことである。今でも、笹林小学校の近くにYが住んでいた家の跡地があり、ここを通る時いつも彼のことを思い出す。Yとはたまたま道を歩いている時に会うぐらいで、それ以上の付き合いはなにもなかった。中学校卒業とともに、どこかに就職予定だったのだろう。いまでも卒業前に彼が言ったことを覚えている。「キリスト教会に通うと、悪い道には入らんケン、おりゃ、教会にかようバイ」。それを聞いた私は、なぜか安心をして、Yも教会に通って真面目に生活するのだろうと思っていた。最後に会って聞いた言葉がこれであった。

その後、私は高校に通い、それなりの生活であったが、Yのことはほとんど思い出すこともなく、月日は過ぎていった。そして2年前に大牟田に帰って、中学校同期の人から、Yは殺人罪で刑務所に入れられ、出所後に殺された、という話を聞いた。私はショックだった。そして、高校の時でも大学の時でも、いつでもいいから、本人を探して一言話をすべきだったと思った。「世の中には悪かやつもおるとぞ。騙されるなY、絶対騙されるな。よか人とだけ付き合わんとダメぞ」。これを言ったからといって、Yに影響を与えられたかどうかは分からない。でも、私はこれをY本人に言うべきだった。後悔しても後悔しきれない。人から気にしていると知らされ、自分のことを思っている人がいるだけで、人は勇気をもらえる。

Yに言えなかったことは、今後大牟田で生活するうえで絶対に忘れてはならないと思っている。今後は後悔のないように、大牟田の人のためになることは何でもしようと思っている。できるだけしかできないが、自分がやれることは何でもしていこうと思っている。

【第一章】

三川の大水が意味する、大牟田市役所の役割

この章では、2020年に起きた大牟田の水害について考えることにする。大牟田はもともと自然災害があまり起こったことのないところであるが、この年には大きな災害になった。通常あまりないことが起こったことで、日常的には見えにくい、行政の実態が見えてきたのである。

この水害については、次の資料を見ていただきたい。三川においては、なんと1000世帯が、床上浸水になっており、相当な被害を被ったことがわかる。

ポンプ故障などしていない

三川以外の大牟田地域においては、〝ポンプの故障で、水害がもたらされた〟というのが、「常識」になっている。最初に申し上げておくが、これは真っ赤なウソであり、実際はポンプの故障など起こっていない。問題はなぜこのようなウソが大牟田中に広がったのかだが、簡単に言えば、このような話の方が市には都合が良かったからだろう。機械の故障が原因ならば、「仕方がない」ということになり、誰もが別段考え込む必要などなくなる。誰がどのようにこの話を広めたかというよりも、大牟田の人にとって都合のいい話が広まっただけだと言えるだろう。

これに関しては、市の方から配られた冊子に書いてある通りを知らせることにする。

7月6日、7時30分「三川ポンプ場、エンジンポンプ3台稼働開始、以降、電動の水中ポンプ9台も降水量に応じて稼働」とあり、同日、14時30分には、「三川ポンプ場12台フル稼働開始（通常は降雨状況にあわせたポンプ台数で運転）、排水能力を超える大雨により浸水箇所が次第に拡大」とあり、それから20時15分に「三川ポンプ場内への浸水が進み、配電盤まで水が浸入し、ショートの危険性が高まり、水中ポンプの運転を停止せざるを得なくなった」とある。つまり、浸水が激しくなったので、〝このまま運転を継続したら、ポンプが破損、故障の危険性があったので、すべて停止した〟ということである。それから20時30分に「三川ポンプ場エンジンポンプを稼働するエンジンが浸水したため、エンジンを停止せざるを得なくなった。その後、全ての設備が水没」となった。最後に、21時「市災害対策本部より国土交通省へ排水ポンプ車の派遣を依頼」となっている。これにより、国土交通省からのポンプは、翌日の11時30分に来た。それと同時に民間事業者による仮設ポンプが設置され、稼働（最大9台）となった。しかしながら、これらがなされたのは既に床上浸水した後である。

7日	4：30		自衛隊災害派遣要請
	7：45		みなと小学校・三川地区公民館救助開始
	11：30		三川ポンプ場において国土交通省の排水ポンプ車設置・稼働（最大３車両） 民間事業者による仮設ポンプ設置・稼働（最大９台）
	11：40	大雨特別警報（土砂災害）解除	
8日	4：25	大雨警報（浸水害）洪水警報解除	
	12：30		浸水解消
	13：10	土砂災害警戒情報解除	
	13：45	大雨警報（土砂災害）解除	
	19：00		三川ポンプ場ポンプ２台応急復旧、その後順次応急復旧
10日	18：00		三川ポンプ場への浸水対策として、周囲に土のうを設置
12日	14：20		三川ポンプ場ポンプ全台応急復旧
13日	17：00		避難勧告発令【市内全域】 避難所開設
	23：37	大雨警報（土砂災害）発表	
14日	10：54	大雨警報（土砂災害）解除	避難準備・高齢者等避難開始【市内全域】に切替え
15日	13：00		避難準備・高齢者等避難開始【市内全域】解除 天領小学校を除く避難所を閉鎖
16日	17：00		三川ポンプ場に仮設ポンプ６台を設置し、排水機能の増強を図る

図表 1　市役所配布資料

日	時間	警報等	主な対応
6日	7：30		三川ポンプ場　エンジンポンプ３台稼働開始 以降、電動の水中ポンプ９台も降水量に応じて稼働
	10：16	大雨警報（土砂災害）発表	災害対策本部設置 自主避難所開設（23か所）
	11：26	洪水警報発表	
	13：40	土砂災害警戒情報発表	
	13：48	大雨警報（浸水害）発表	
	14：15		避難準備・高齢者等避難開始発令 【三池、銀水、上内、吉野、倉永校区】 指定避難所（23か所）
	14：30		三川ポンプ場12台フル稼働開始（通常は降雨状況にあわせたポンプ台数で運転） 排水能力を超える大雨により浸水箇所が次第に拡大
	15：25		避難勧告発令【市内全域】
	16：30	大雨特別警報（土砂災害）発表	避難指示（緊急）発令【市内全域】 避難所（８か所）を追加。１か所（駛馬地区公民館）冠水により閉鎖したため計30か所
			避難所（みなと小学校・三川地区公民館）孤立（約260人）
	20：15		三川ポンプ場内への浸水が進み、配電盤まで水が浸入し、ショートの危険性が高まり、水中ポンプの運転を停止せざるを得なくなった
	20：30		三川ポンプ場エンジンポンプを稼働するエンジンが浸水したため、エンジンを停止せざるを得なくなった。その後、全ての設備が水没
	21：00		市災害対策本部より国土交通省へ排水ポンプ車の派遣を依頼

市の説明会：ガス抜きのため

これらを読んだ大半の人は、なぜ、ポンプの稼働がこれだけ遅れたのか、と思うだろう。私も同様である。7月30日に、三川の公民館で市からの説明会が開かれ、これだけでは不十分だと市の方が考えたからか、8月7日には市長も出てきて、大牟田市文化会館で説明会が開かれた。これに私も参加したが、参加者の大半は、三川地区の方々のようであった。つまり、実情は大牟田市民一般には広がらなかったということである。午後7時から始まり、話の大体が終了したと判断した後私は中座したが、この説明会はなんと夜中の12時過ぎまで開かれたそうである。この説明会は、地元・三川の人々のガス抜きが目的だったと考えられる。地元の人々に言わせるだけ言わせておいて、それで気持ちを良くさせれば、それで目的は達成された、ということであろう。事実、この説明会の様子は誰も知ることもなく、市のホームページにも、2021年2月9日現在何も出てこない。ここで言われたことはもちろん、会の内容についても何も公表されていないのである。もともとから、その目的で催された説明会だったといえる。さらに、被害者側からの質問批判は、ほとんどすべて個人によるものであり、三川を代表して誰かが質問したのではない。被害者側も、市側に対してそれなりの戦略を考えておらず、言いっぱなし、聞きっぱなしになってしまっている。本来ならば、裁判沙汰も前提にした賢い対応が望まれるべきだろうが、そのようになってはいなかった。

なぜこれだけ遅れたかについては、後ほど書くことにして、この報告会の様子についてまず報告する。三川の被害者から様々な不満が述べられ、それに対して、市側は言い訳をして対応していた。これらの不満の中で、最も市側の考え方なり、基本的なやり方が出ていると考えられるのが、以下の件である。質問者は、側溝のゴミがたまっていたことが、水害の一因ではないかと質問した。これに市は、「市民の方から側溝が詰まっているなどの報告があれば、現地に行った」などと返答したのである。あらかじめ側溝が詰まっているかどうかを調べて、その危険性をなくすといったことを、市はまったく考えていないことが分かった。この応答の際に、市側の説明者は、注文があれば側溝に行ったのに、なぜこんなことを言われなければならないのかという対応であった。言われたらやったはずだから、問題はないと思っているのである。実際は、気象庁の発表からこれまでにない雨量が降ることは分かっていたのだから、危険性のある所から順番に側溝のチェックをするのが、行政の対応だろう。しかし、市はそんなことをする考えがまったくなかったことが分かる。市役所内部では、誰かがやれと命令したことをやるだけであり、自分の頭で考えて必要なことは何かを考える基本的習慣がないことが見え見えである。

筆者が聞いたところでは、三川以外の場所でもこのように側溝がゴミその他で埋まり、水害が発生したところがあったという。三川での対応を見れば、大牟田市の他の場所での対応にも、同じことが見られるということである。つまり、ここに書かれていることは単に三川だけでなく、大牟田全体に関わっているといえる。もし、市役所側が、危険性のより高いところの安全確認をやっていれば、水害は避けられた可能性がある。何も大牟田市すべての側溝のチェックをしなければならないということではなく、危険性のより高いところのチェックに限ってすればいいだけだろう。こういったことが何らされていないことが、問題だと考えられる。

この水害について客観的に考えた場合、7月3日から鹿児島で水害が起き、その後熊本にも起きているのであるから、しかも気象庁からは大牟田にも大雨が降ることが予報されているのであるから、この大水に対してどのような対策を取るのかについて、市役所内部で検討しておかなければならないはずである。当日の説明会においては、前もってどのような対策が取られたのか、何をどのように検討したのかについては、一切報告がなかった。つまり、何ら対策が取られず、何も検討していなかったと考えられる。何の報告もないのであるから、このようにしか理解できない。

ポンプ場については委託業者に任せていたというが、当日の説明会には当事者である委託業者は来ておらず、市役所職員が説明するだけであった。本来的には、現場がどのような指令に基づき、どのような対応をしたのかを報告しなければならないはずであるが、それは一切されなかった。このような場合、もともと市側がどのような対応をしなければならないのかを分かっていなかったのだと言えるだろう。つまり、市役所では上からの命令を受けるだけの業務で成り立っていると言えよう。市民一般から話を聞き、そこから学びながら、市民のために何をどうしたらいいのかを考える姿勢など微塵もない。こんな人々には危機管理など、無理に違いない。

何の対策をしたのか具体的な報告なし

さて、ここまで報告したうえで、なぜ、国土交通省その他への連絡が遅れたのかであるが、これについても何の報告もなかった。諏訪のポンプ場のポンプは国の基準を満たしておらず、しかも、気象庁からこれまでにない大雨が降るという予報があるのであるから、通常ならばその対策を取らなければならない。簡単にいえば、国土交通省に前もって、現在あるポンプだけでは対応できない可能性があり、ポンプが使えなくなる可能性もある、という連絡をとっておき、もしポンプが使えなくなったら、すぐに国土交通省からのポンプで対応してもらうように連絡しておくべきである。そうしていれば、三川で被害は未然に防ぐことができたはずである。これと同様に、民間のポンプを持っている人々にも前もって状況を伝えるとともに、早急にこれらのポンプを準備すべきである。これが全くなされていなかった。時間的には、2日程度あったのであるから、以上のような対策は可能であったはずである。もし、これがなされていれば、床上浸水は未然に防げた可能性がある。つまり、市役所の当事者は、三川の人々の安全を守るために何をしたらいいのかについて、何も考えておらず、設置してあるポンプを使えばいいとだけ考えていたと見られる。実際、市役所側からの発言として、「考えが甘かった」という報道がなされている。事実上、単に甘かったのではなく、当然考え、やらなければならないことをやらなかった。こんな行政は信用できないのであり、危機管理など何ら考えられない機関でしかない。

また、この水害の被害関係者からの意見として、国土交通省は一級河川である場合は、それなりの対応義務があるが、今回のように二級河川の場合は、水害の起こる前に排水などの作業はしないことになっており、もし、ポンプ対策をするならば、市側は独自にやらなければならないという。これについて調べたところ、最も有効性の高い排水は、消防署がもっている排水システムだということが分かったが、市側は消防署への命令権をもっているにも拘わらず、何の指令も出していない。恐らく、市側としてはあくまでポンプのことしか考えておらず、消防システムによって排水ができることを考えていなかったのだろう。使えるものは何でも使えばいいのであり、消防システムを使えるならば使えばいいだけだろう。つまり、国土交通省が動いてくれなくとも、それなりの排水対策を市側はできたはずであるが、実際には行われなかった、ということである。

実のところ、この三川地区では数十年前から大雨が降るたびに、ポンプ等の改善が要望として出されており、今回が初めての災害ではない。しかも、数年前にある程度の規模の水害の実害も被っており、通常はそれも踏まえて対策がもたれて当然なはずである。しかし、市側の返答は予算がないだとか、対応できないだとかの一点張りになっている。百歩譲って、予算がないとしても、緊急事態になった時に国土交通省その他のポンプを持っている人々などへの連絡なり、援助要請なりについて考え、具体的な方策がたてられるべきであろう。しかし、そのようなことは十数年間一度もされた形跡がない。「金がないからできない」と言うだけである。つまり、住民を守ろうという基本的な意思が見えない。

これについては、２０２1年2月14日に、「大牟田中央校区における関市長の出前市長室」が開催され、私は花園町公民館長として出席した。この席上で、私はここに書いてある内容に沿って、質問をした。まず、国土交通省、個人でポンプを持っている人々への連絡が遅れた原因については、返答がなかった。次に、三川では毎年のように、水の被害が起こっており、それに対する対策をしたのか、しなかったのかについても返答はなかった。そして、市長は、諏訪のポンプ場においてポンプが稼働できなくなる事態を予測できなかったと返答した。最後の、「予測できなかった」というのは、論理的におかしい。ある一定以上の水量になれば、ポンプの稼働はできなくなって当然であり、既に日本国の基準をこのポンプは満たしていないのであるから、どういった事態になってもおかしくはなかったはずである。予測できてしかるべきことを予測できなかったという、いわば、言い訳で逃げているといえる。それから、前の二つについて何も返答していないことは、行政の長としての責任を果たしていないといえる。

さらに、緊急事態においてどのような対応をしたのかについても、緊急事態の体制を取ったと言うだけであった。本来的には、時間と場所を明確にして、何をどのように検討して、それに対して市長としてどのような指令を送り、それを現場はどのように受け入れ、実行したのかを言わなければならない。これは、報告ならば当たり前のことであり、単に緊急事態の体制を取っただけでは返答になっていない。

このように、市は自分が言ったことが残され、それに基づく責任追及がされるなどとは微塵も考えていないようだということがわかった。今まで市に、このような厳密な対応を要求する者がいなかったことも分かる。次にあるのは、西日本新聞で報道された、検証委員会からの発表についての記事である。

西日本新聞　大牟田市豪雨被害で検証委、内外水対策求める　２０２１年１月23日

昨年８月から開かれてきた大牟田市の第三者委員会「７月豪雨災害検証委員会」は22日の第５回会合で終了した。浸水被害の原因について、当初から指摘された雨水がはけない「内水氾濫」に加え、川から水があふれる「外水氾濫」、「満潮」も原因になったと結論づけた。現地視察や住民への聞き取りなど委員会の検証や議論を振り返る。

昨年７月の豪雨では、福岡県大牟田市で大規模な浸水被害が起き２人が死亡。家屋の半壊は２７００軒を超え、２４３人（今月13日現在）が今も避難生活を送る。

三川地区では三川ポンプ場が浸水し、排水機能を果たせなくなった。このため雨水が川や海にはけず浸水する「内水氾濫」が深刻化したと当初からみられた。

昨年９月30日、検証委の第２回会合。浸水の原因を「内水氾濫」と断定する議論に委員が疑問を呈した。

「(7月6日)午後8時には雨がやんでますよね。でも水位は上がり続けている。日をまたぐ(7日午前0時)ころが一番高い。(内水氾濫では)説明が難しいんじゃないですか」

委員たちは初会合後に被災地を視察。みなと校区の三川地区公民館を訪れ、1階部分が浸水した7月6日の様子を聞いた。

午後5時ごろには周囲の道路が冠水し水位が上がり始めた。同9時ごろ道路から約40センチ高い玄関フロアが浸水したという。相薗徹行館長は「深夜0時ごろには床上30センチまで水がきた」と柱を指さして説明した。

市の資料では、降水量は午後3～5時の集中豪雨後は小康状態に。午後8時～翌7日午前1時は、ほぼ降っていない。だが、みなと校区の水位は上がり続け、夕方になっても水は引かなかった。委員は「どこから大量の水が来たのか。河川や他の地区から流れ込んだとしか考えられない」と指摘した。

■　■

浸水状況は地域によって異なる。三川地区から東に約2キロ上流の諏訪川沿いの東神田地区。7月6日の豪雨で、床上28件、床下4件の浸水被害が出た。

地元の人に聞くと、6日は隣の熊本県荒尾市側に降った雨が、排水路や道路を伝い流れてきたという。だが、水かさが増した諏訪川に雨水がはけず、夕方には内水氾濫が始まった。

「このまま浸水し続けたら大変」。女性（61）は荒尾市の実家に家族で避難。翌午前6時ごろ様子を見に戻ると、冠水は消えていた。「キツネにつままれたよう。あの雨水はどこに消えたのかしら」と首をかしげた。内水氾濫の水は諏訪川に入り、下流に押し寄せたとみられる。

市や県の調査で、みなと校区の諏訪川支流の船津新川で約10カ所溢水（いっすい）の痕跡を確認。「（あふれる水に）足を取られるほどだった」との市民の証言も得た。

雨が小康状態だった時間帯に増えた浸水量を試算すると、河川などから水があふれた「外水」は約16万立方メートルに上る。「内水」の約18万立方メートルに匹敵する水量と分かった。

このことから検証委は、6日午後3〜5時の未曽有の集中豪雨を排水できずに内水氾濫がまず発生。続いて、川の上中流域などに降った大量の雨水が諏訪川や船津新川を流れ下ったと分析する。満潮（午後10時半ごろ）が近づいたため、豪雨で増水した諏訪川の水は海に流れず水位が上がり、支流の船津新川などで水があふれ出したとみている。

これらの調査結果から検証委は、溢水した支流や周辺地域、河川を含む広い範囲での総合的な治水対策を、提言書で市に求めている。（立山和久）

■　■

語るに落ちるとはまさにこのことであろう。常識的に考えて、まともな対応ができていないとしか言いようがない。ところが、豪雨災害検証委員会によって市役所の対応の問題などについては一切報告されておらず、言っている内容は、水害の際に市役所側がどの様な認識を持ったのか、およびその認識の中身についてのみであった。簡単にいえば、この水害のときには諏訪川は氾濫しておらず、また、水害の時は雨も降っていなかった。つまり、雨が降った後に水害に見舞われたのであり、このような認識を市側はしていなかったので、それが問題だったと報告されている。雨が降った後に、溜まった水によって水害になったということである。言うなれば、水のたまり方について考えていなかったことが取り上げられている。実際、これだけで、何が検証委員会なのであろうか。大切なのは、危機管理がどの程度なされていたのか、ということであるはずだろう。それについては、注意事項のようにほんの少し書かれているだけである。恐らく、最初からこのようなことについては検討するつもりがなかったのだろう。なぜならば、そうすれば市役所の行政責任が問われることになるからである。検証とは名ばかりであり、誰の責任も問われないことしか取り上げていないのだ。

水害についてのまとめ

最後に、以上を全体的にまとめる。水害のような非常事態における行政の対応を見てきた。これによって、大牟田市役所が市民に対してどのような態度を取っているのかが分かり、今後、我々が大牟田をどのように運営したらいいかが分かると言えよう。簡単に言えば、市役所をあてにしてはいけない、ということである。市役所においては、仕事を増やすようなことは避けられ、実際に市民にとって必要ではあっても、自分たちが大変になることはしないのが当たり前になっている。災害の現場でもこのような態度なのであるから、日常的業務においても、これは同じになっているだろう。

大牟田市は我々の自治体であり、大牟田における主役は大牟田市民である。しかしながら、市側はこの原則を守っているとは言えないので、我々は市役所を利用しながら、我々にとって有意味な行政になるように、自分たちで導いていく必要がある。本書のあとの部分に述べるように、市役所には何の期待も持たずに、市民が行動し、市民が何かを達成できるようにすればいい。そのように市役所に働きかけて、ある程度の年月それを続けることで、実質的に市役所の体質を変えるようにもっていく。誰かに変えてもらうのではなく、我々の手で、我々が変えていくのである。大牟田市は我々のものであるから、我々がコントロールできて当たり前であり、我々が健全な行政にするように変えればいいだけである。

今回の水害について考えると、公民館等の自主的な対応によってそれなりの成果はあげられているが、大牟田市においては、地域社会の連携が十分とは言えない。例えば、もし市側に要求するのならば個人では限界があるので、やはり公民館組織を通して、地域住民の意向として出さなければならない。ところが、その公民館に所属している人が減っており、地域社会が弱体化している。これでは我々がより良い大牟田をつくっていこうと思っても、かなり無理があるだろう。今後は、公民館等の活動も、積極的に活用する姿勢が必要になる。特に、水害、台風の害、地震などが起こった場合、近隣関係が重要であり、それがなければ命にかかわることになろう。我々の結びつきを強くしていきたいと私は思っている。

これまでの大牟田市民は、市役所に批判的でも、市役所を利用して、我々にとって意味のある行政にしていこうという努力はあまり見られなかった。その努力がどれだけなされたのかについては「？（クエッションマーク）」がつくだろう。大半の人は、「市役所など関係ない」、「大牟田市も関係ない」などとそっぽを向いたのではないだろうか。しかし、大牟田は我々の財産なのであり、そっぽを向く必要もなく、無視する必要もない。我々の財産を大事にして、我々にとって有意味な行政にすればいいだけである。最初から何の期待もなければ楽であり、相手をどのようにしたら利用できるかについて戦略を立て、それを実践していけばいいだけである。

全国の地方自治体は、実質的に存続の危機に見舞われており、このまま10年以上過ぎれば、財政的にも立ち行かなくなり、破綻する自治体が出て来るだろう。生き残るか、死ぬかの局面であると言い換えてもいい。今は高度経済成長の時代とは異なり、仕事をすれば自動的に豊かになる時代ではない。生き残りたければ、生き残る戦略を立てなければ、生き残れない。そして、多くの自治体は国からの援助、助成金を狙っており、その助成金を一回もらえれば、それが大きな成果になっている。しかしながら、高度経済成長期とは異なり、国家レベルで緊縮財政になっているのであるから、このような戦略は意味を持たない。自立した地方自治体が自分たちの力で立ち上がっていくしか、方策はないと考えられる。よって、誰かに頼れば何とかなる、というような「親方日の丸」の考え方ではどうしようもない。市民一人一人が、生き残るためにちゃんと考え、それなりの準備をしなければならない。地方自治体は我々の生活と密接に関わっており、ここが破綻してしまうと我々の生活も破綻してしまう。ここを死守しなければ、我々は存続できないのである。

三池争議と炭じん爆発からの教訓

近年の大牟田の歴史において、かなり大きなウェイトを占めるのは、やはり、三池争議と炭じん爆発事故になるだろう。三池の炭じん爆発事故とは、1963年に三井の三川鉱で起こった大事故で、500人程度の人が死に、800人以上がCO中毒になった。大牟田市民はこの歴史を引きずっており、この歴史から何かを学ばなければならなくなっている。まず、三池争議は炭鉱労働者の生活の権利を守るための運動から始まった。しかし、これを実現するための方針として、労働者と資本家との戦いという図式に変わり、最終的には、社会党と資本家＝自民党との政治闘争になっていった。結果として、安い資源である石油中心の工業が目指されていったので、石炭産業は破棄されることになり、この戦いは自民党の勝利になった。しかしながら、労働者の生活の権利は自民党が勝とうが負けようが、守らなければならないのである。当時はこの観点が希薄だったといえよう。そして、労働者の人権軽視が、次の炭じん爆発事故で鮮明になった。この事故が起こった原因は、三井が労働者の命を軽視したことに依っている。労働者の安全を守る体制を作らなかったことが原因である。命を守らないことは、別の言い方をすると、人権軽視ということである。命を守ることが、人権擁護であり、命を守らないことが人権軽視になる。学校では、このような教え方をしておらず、一般市民は、人権擁護というのは部落差別反対というレベルでしか理解していないだろう。日常的な言葉と、抽象的な言葉がつながっていないのである。

このことを調べれば、実際にどのようなことが起こったのかは今では明らかになっている。福岡の検察庁は、三井の企業責任を問うべきことを考え、三井を告発する予定であったが、その検察関係者全員が突然配置転換された。つまり、国によってこの告発が潰され、刑事事件にはならなかった。その後、検察のメンバーは変わったが、同じく「証拠不十分」で告発はされなかった。その後、CO患者になった人々からの裁判沙汰があり、三井との和解などが行われただけである。つまり、炭じん爆発については事実上何ら白黒はつけられておらず、うやむやにされてしまったというのが歴史的事実である。これには学術調査もされており、それによれば、三井の責任は明確であるが、それは司法には取り上げられていない。

例えば、水俣病の場合だと、水俣病についてはまず学術的に水俣病の原因は有機水銀だと断定されたが、国はそれを認めず、「原因不明」のままほぼ10年にわたって放置した。しかし、10年後には国も水俣病を公害病に認定し、裁判でも患者側は勝訴した。ここでは、それなりの責任が企業側と国側に問われたのであり、相当に患者側は苦しかっただろうが、けじめはつけられたといえるだろう。大牟田はこのようにはなっておらず、はっきりさせなくてはならないことがはっきりしないままに、時間が過ぎていったといえる。そして、このようなあいまいなままで終わると、炭じん爆発の被害者が十分な賠償を受けられなかったことに伴う無力感とともに、人々の、あんた任せ、誰かに頼れば何とかなる、という発想が一般化してしまう危険性がある。これでは、自分たちでより良いまちをつくろうという発展的、未来志向の態度がとれない。我々はこれも踏まえ、生き方についても十分に検討し、町の将来を考える必要がある。

我々は、炭じん爆発事故で三井は働く人の命を粗末にした、ということを学ばなければならない。そして、これがまさに、人権軽視なのだ。今では大牟田川は普通の川となって魚も泳いでいるが、ちょっと前までは悪水川と呼ばれており、工場排水を垂れ流すドブ川であった。私が小学生の時には、工場排水に火がついて、川が炎上したことさえあった。大牟田の工場から出て来る有毒な排水は大牟田川にそのまま流され、環境を悪化させていた。しかしながら、それで三井が裁かれたことはない。三井は大牟田市に税金を納めており、堂々と排水を垂れ流していたのである。三井さまさま、三井あっての大牟田という、三井城下町の暗黙の了解によって、環境汚染もすべてチャラにされていたのが事実である。

大牟田市役所でも、三井城下町であることが重視されてきたのであり、世界遺産もすべて三井が所有する場所である。実際のところ、市役所は三井のために世界遺産申請をしたのであって、大牟田市民のためではないだろう。大牟田市役所の対応にはこのような根っこがあると言わなければならない。だからと言って、大牟田市民の人権を守らなくていい、ということにはならないし、もしそうなったならば、日本憲法に反することになる。政治家、資本家であっても憲法を遵守しなければならないのだから、日本国民として我々は憲法に守られているのだ。

我々が今後大牟田を良くするためのまちづくりをやる場合、必然的に大牟田の歴史を学び、その知識に基づいて戦略を立て、実践しなければならない。そのためには、都合が良かろうが悪かろうが関係なく、事実をまず知らなければならないだろう。

大牟田に帰ってきて2年過ぎるが、大牟田の人と会って話をすると、全般に大牟田の現代史に向き合っていないという傾向が感じられる。大牟田の人は、その歴史のなかで、さまざまに傷ついて生きて来たのではないかと私は思う。これまで述べてきた三池争議も、炭じん爆発事故も、それから大牟田川もすべて、なぜそうなのかは横において、それでも生きていかなければならないので、何も感じないようにしているだけのように感じてしまう。

ここで、私が注目したいのは、大牟田において生活をしてきた与論島出身者の人々である。私は、大牟田についてより良い理解をするために、与論島出身者について知ることが有意義だと思う。

大牟田の与論島出身者

明治以来、大牟田には与論島から人々が労働者として来ており、今でも与論島の二世、三世が大牟田に在住している。これについては既に本も何冊か出版されており、それに基づいて、以下書くことにする（井上佳子２０１１『三池炭鉱：月の記憶、そして与論を出た人びと』石風社を主な参考文献にしている）。

まず、与論島の話に入る前に我々が知らなければならないことは、大牟田の炭鉱労働者の始まりは囚人だったということである。しかも、囚人労働は政府からの批判がありながら、大牟田では昭和になっても続けられていた。簡単にいえば、タダ働きの労働者なので、資本家から目を付けられ、長年、炭鉱労働者として使われてきたのである。この囚人労働者について、別途『朝鮮人とアイヌ民族の歴史的つながり』（石純姫、２０１７、寿郎社）という本があり、この本に内容と重なる点が見つかる。

日本の行政は、工事などで搾取された朝鮮人の無縁墓を、供養も何もしない、単なる無縁碑にして、そのまま放置している。このやり方は、大牟田の場合、刑務所関係者が死んだ囚人のために作ったと言われる、現存している龍湖瀬にある囚人墓と似ている。囚人は炭坑でタダで働かされ、そして重労働と差別待遇の結果、大量に死んでいった。それを不憫だと思った人がいたかは定かではないが、誰も無縁供養などせずに、死んだ囚人はこの碑の近くにどんどん埋められていったのである。

これと全く反対になっているのが、一の浦にある囚人墓地である。この墓地は古くから大牟田にいる人々の墓地であり、明治の炭鉱の始まりの時にあったところになっている。ここでは刑務所や三井とは無関係に、地元有志が、自分たちの先祖が眠る墓場に囚人を埋めた場所だと考えられている。ここに埋められた名前も何もない単なる番号だけの人々のために、有志たちは供養を続けた。これが本来的な無縁仏供養である。仏に上下はなく、すべてが我々の仏であり、仏のための供養をするのが、日本の伝統文化である。

無縁仏供養についても恐らく説明が必要であろう。これは日本全国津々浦々で、今でも行われている日本の伝統文化であり、また、東シナ海域の共通文化でもある。カントンの鬼神信仰、韓国のシャーマニズムでの供養、それに仏教の施餓鬼もすべて無縁仏供養である。長崎の精霊流しも中国伝来の無縁仏供養であり、もともとは海難者の供養であり、家族親戚の供養がその目的ではなかった。無縁とは自分とは関係のない人の意味であり、無関係な人間を弔い、供養するのが無縁仏供養である。漁民ならば、無縁を供養することで豊漁が約束され、しなければ逆に海難事故にあうと考えられている。もともとは、タタリ神と来訪神が結びついた信仰形態であり、いわば、縄文・弥生から伝承されてきた日本の伝統文化である。無縁という、見知らぬ死者を供養することで自らの平安を祈るこの信仰は、日本人の深い精神性に支えられていると言えよう。

囚人労働の次に目をつけられたのが、与論島の人々であった。資本家にとってタダ働きの労働者がいた方がいいのは当然であり、与論島の人々は囚人ほどの待遇ではなかったが、最低賃金で雇うことができた人々であった。与論島では、１８９８年に台風の大被害にあってから、島では餓死者が出るくらい貧しくなった。これを打開するために日本本土での労働案が出され、三池でとれた石炭を大型船に乗せる作業を、島原半島の口之津でやらせることになった。仕事は男女関係なく、すべての移住者がゴンゾウと言われるオキナカシの仕事をさせられた。石炭を小さな船から大きな船に移し替える仕事である。この労働条件は今ではどこにもないほど劣悪であって、3日間寝ずに働き、途中で海に落ちて死んだ者さえいたぐらいであった。しかも、賃金は本土の人の50%～70%であり、とても給料だけでは生活できなかった。

よって、与論島の人々は現地で畑を作り、豚を飼った。これで、ギリギリの生活を維持したのである。三池港が作られてからは、石炭の運搬は大牟田だけで行われることになり、与論島の人々の一部は口之津から大牟田に移り、その後、更に与論島から大牟田に移った人々も加わり、2000人規模の与論島の人々が大牟田に住むことになった。しかしながら、戦前までは与論島の人々は三井とは間接契約であり、社会保障は最低レベルであった。三井から畑を貸し出され、それによって生活を支え続けたが、ずっと下積みの生活が日本敗戦前まで継続した。戦後は、間接契約から直接契約になり、また、炭鉱夫になることも可能となり、生活改善が進むとともに、組合にも参加できることになる。戦前に比べれば生活は楽になったが、それでも畑だけでは生活できず、豚飼いも続けられた。

大牟田においては最低に位置づけられたのは囚人であるが、その上が与論島の人々、そしてその上が一般の日本人労働者ということになる。明らかな階級構造になっており、一般の労働者からすれば、自分たちの下には与論島の人々＝ヨロンがおり、自分たちよりも貧しい生活をしており、「囚人みたいだ」と思っていた。しかし、与論島の人々にとっては、自分たちのさらに下に囚人がいて、戦争中は強制連行された朝鮮人、中国人、それに連合国軍捕虜もいた。この階級構造によって、それぞれがそれぞれなりに、自分が上だという意識が作られ、搾取する側にとっては都合のいいメンタリティになっていた。

さて、一般の炭鉱労働者は命がけの仕事をしていたので、収入等が他の労働者よりも恵まれていた。彼らは命がけの仕事をしていたので、当然会社から生命の安全保障がなければならない。しかし、炭じん爆発事故を見れば、会社からの対応はとても充分なものとはいえず、決して良い待遇といえないことは明白である。つまり、炭鉱夫も事実上搾取されていた、ということである。炭鉱夫以外の工場労働者は、当然のことながら炭鉱夫よりも処遇は良くない。それが当然だと思わせられており、自分の処遇に満足しなければならなくなっていた。ここにおいても、実質的な搾取がまかり通っている。さらに会社の中では、職員と労働者の区別、差別が当たり前であり、会社から職員待遇にしてもらえれば、それは成功者ということになった。実際にそれが可能かは別にして、その期待で労働者たちは苦しい生活を耐えていた。エサは毎日ぶら下げられており、毎日それを見ながら、「いつかは自分も」などという期待感をもって生きていたのである。

これを現代日本に当てはめて考えると、小泉政権以来一般化した非正規雇用が挙げられる。現在では、全就労者のうち2000万人程度が非正規雇用と言われている。小泉政権以前はあまりなかった雇用形態が、今や普通である。彼らは正社員と同じ仕事をしたとしても、不十分な社会保障と、正社員の半額の給料しか与えられない。これは、資本家、出資者にとっては都合のいい人々であるが、日本国全体で見た場合、重大なレベルの貧困問題になる。

非正規雇用の人々は昔日の与論島出身者同様に搾取されているが、恐らく、世の定めでそうなっているとしか思っていないだろう。もちろん、これが小泉政権以前であれば、どうしようもない搾取と騒がれるだろうが、今では非正規雇用の低賃金労働者が普通になっているので、当事者も搾取だとは感じないのだ。そのような人々は、東京にいながら不安定な非正規雇用で月に20万円以下の生活を強いられているが、適当にゲームなどの趣味で毎日自分を紛らわせているのだろう。与論島の人々は働かなければとにかく食べられないので、文句は言わずにとにかく働くだけだっただろう。両者ともに、何も考えずに働くだけが共通している。違いは、毎日の生活を紛らわせる手段を今の人々は持っているということだ。その構造こそ経営者からすれば都合のいいものであり、何らかの遊び、ゲームで気を逸らせて人を絞り上げているのだ。エンターテイメント産業は相当に発達しており、自分自身から逃避できる機会は山とある。これを避けること自体が実際難しいくらいである。という訳で、非正規雇用の人々の生活も搾取に組み込まれている。今の労働と昔の労働とを比較すると、このようになる。やはり、歴史を学ぶことは重要である。与論島の人々は、誰しも搾取を実感したであろうが、今は、その搾取から逃避できるような仕組みが作られており、当事者が搾取に気づかず、知らぬ間に奈落にはめられるようになっているといえる。搾取のあり方が巧妙になっているのだ。

実際の生活者は、年を取って仕事もなくなっていき、何ら社会保障がないのならば、生活自体が破綻してしまう。それを最終的に回避するには生活保護以外ないとすれば、日本国中生活保護だらけになり、地方自治体、国がまともに立って行けなくなるだろう。これが、日本国中の実態になっている。これらの問題を回避するためには、地方自治体が本来的な意味で共同体志向を発展させ、誰でも生活していける自治体をめざさなければならない。市民の覚醒と今後の実践に、これからの大牟田はかかっているといえる。

最後に、水害の被害者は今どうなっているかであるが、正直なところ、大牟田市が何か積極的な対策を取っているとは思えない。社会福祉関係の人々がボランティアで、被災した家にそのままいる人を訪問して実情を聞いているということは聞いたことがある。しかし、これらの人々に対しては一部国からの支援があるという話だけで、実際どうなっているのかについては皆目見当がつかない。事実上、市が支援している住宅に入っている人は全体の10分の1程度であり、残りの人々はもとの家にそのまま住んでいるとみられる。自宅にいる人が20％とすると、あとは借家になるだろうが、老人所帯なので転出が難しい可能性もあるだろう。この本で論じているように、災害の深刻化の原因、理由は市側にあるのであるから、被害者支援は当然のことである。大牟田市民すべてに関心を持っていただきたい。そして、被害者を一人でも多く、助けていただきたい。よろしく、ご協力をお願いいたします。

大牟田の人々は、まずは自分たちが搾取されていたことを認めるべきだ。そして、今は搾取されるのが当たり前の時代ではなく、人権を要求して当然の時代であり、人間として当たり前の生活を今後していくためにも、より良い大牟田を作っていこうと思わなければならないだろう。過去は過去であり、我々が創造するより良い未来のために、一人一人が切磋琢磨する心地良い毎日を送れるようにしたい、と私は考えている。

ルール無視が常態？

以上でこの章は終わりになるが、これにあと一つ、別途の案件を付け加える。これは、私の知人（次の文章でいう告発者）が市役所のある部局ともめ、私に対して、見届け人を依頼してきたことに関連する。これも大牟田市役所の現状を知るための重要なデータになっている。

ある小学校の校舎を借りて、空手の教室をしている人がいた。彼は、もともと校舎を借りられるメンバーでも何でもない知人に、自分の名前で校舎を借りることができるようにしてやったのである。これは明らかにルール違反であり、不正使用になる。これが発覚してからの市側の対応が問題であった。これを告発した人々は、空手教室をしていた人はルール違反であって、不正使用をやったのであるから、当然それなりの処分がされるだろうと思っていた。しかしそうはならずに、単に面談と説諭レベルでことは終わり、さらにこの不正使用者は、校舎を借りられる団体のメンバーとして登録されることになった。もともとは別組織の人間がなぜ同じメンバーになれるのかが疑問であるが、市側としては手続き上そのようなやり方をしたのである。私が市役所側にその真意を尋ねてみると、市側がその人をメンバーと認めたので、もともと同じメンバーであろうがなかろうが関係ないという返答であった。つまり、市が認めさえすれば、どんな人でもメンバーにできる、それが市の職権である、と言っているのである。不正使用をした人間を野放しにしたうえで、元々無関係な人間をメンバーに入れたのであるから、非常識を通り越して、この市職員も不正を行っていると言える。

実は、この件はこれでは終わらなかった。告発者が裁判に文書を提出していて、この不正使用をさせた当事者をこの件とは別に裁判沙汰にしたのだ。これに対して、不正使用をさせた当事者は、この告発者が自分たちの活動を邪魔し、阻害しているという訴えを起こした。つまり、不正をしたのに処分を受けなかった人間が、自分たちは正当な活動をやっていると裁判所でウソの証言をしたのである。不正使用者を処分しておけば、このようなデタラメはできなかっただろうが、これを市側が許容したために、このような事態になってしまったのだ。

以上、お役所仕事の実態を書いた。市役所は、自分たちの都合のいいやり方を都合のいい条件で運営している。ルールを無視して、好き放題できるのがお役所仕事ということになろう。ここでの告発者は、裁判をなお続けるか検討している。通常の市民はこうなったら、サッサと市側と関係を切って、おさらばするだろう。しかし、このような不正が蔓延することを憂慮し、自分の利益は何もなくとも、裁判沙汰にする人物もいるのである。

【第二章】

現代日本の地方自治で何が必要なのか？

地方自治のあり方を考えるうえで必要なのは、地方自治そのものではなく、我々がもたらされている国家イメージが地方自治と密接に関わっているという実感であろう。まずは、ここから考えてみたい。

我々が直面している問題とは何か

まず、日本の地方自治団体が検討すべきことを、どう考えたらいいか、ということである。簡単に言えば、現在の日本で、我々が直面している問題とは何か、ということだ。しかし、おそらく大半の人々は、そもそも問題に直面していること自体に対しての実感がないだろう。

現在、新型コロナウイルス感染症の流行で日本国中大変な状況であり、国内のどこに行っても、マスクをしていない人はいない。マスクをしなければ、いろんなところに行けなくなっている。なぜここまでの状況になったのか。答えは簡単である。中国の武漢でコロナが発生して、その後、すぐさま台湾は中国からの入国を禁止し、これに続いて、モンゴル、北朝鮮も入国を禁止した。台湾では2021年2月現在、これまでにコロナの患者になった人々は800人程度であるのに対して、東京では、1月のある日はコロナ患者が1日で1000人を超えている。台湾では、この時点においてはこの早期対応が功を奏し、コロナはほぼ克服されているといえる。しかし日本は、コロナが発生しても中国からの入国を禁止にしなかった。それどころか、春節に安倍首相は中国から日本に遊びに来てくださいとテレビ等で宣伝までした。ここまでのコロナの蔓延の第一原因は、コロナ発生初期に、中国からの入国を禁止しなかったことだといえる。

ここまで日本が自国を守らなかったのは、習近平氏を日本に招待する予定があったせいもある。しかしそれよりも、中国からの労働者の入国が禁止されると、産業界に悪影響が出る、ということが最たる理由であった。もちろん、インバウンドで中国からの観光客誘致もあっただろう。要するに、中国から入国を禁止することは、自民党の政治家にとって自らの利権に関わることなので、国民の安全よりも、利権が重視されたのだ。これらのことは日本国民の全てが認められることだろう。

コロナ後のゴートゥー・トラベルも利権問題である。自民党の二階氏が独占している旅行業界にとって都合のいい政策が実施されただけだろう。さらに日本政府は、オリンピックの開催に躍起になっている。開催のためには、必然的にコロナ患者数を減らさなければならないはずであるにも拘わらず、文部科学省は２０２１年度に大学は通常の対面授業を50％に増やせなどと、見当違いのことを言っている。こんなことをすると、大学においてクラスター化が起こる危険性があるので、これはオリンピック開催推進のために全く逆効果のことをしろと言っているも同然だ。オリンピック開催は明らかに利権絡みであるが、文部科学省の意向には、どのような利権があるのかは分からない。

これらのことは、これまでの日本の近現代史を見ればなおさら合点がいくだろう。

日米戦争はなぜ起こったのか

何事も歴史的に考えることが重要である。なぜ、日本はアメリカを敵にして戦ったのか。当時の日本国民の一定数は、恐らくアメリカの国力を分かっていなかっただろう。事情を知らないのであるから、勝つか負けるかなど考えられるはずはない。しかしながら、政府中枢、軍隊は事情を知らないはずはない。その当時の資料を見れば分かるが、日本サイドは、各々の計画がすべてうまくいくことを前提として成り立っている。すべてが１００％うまくいって、最終的に日本に有利な講和条約で終わりになるという筋書きである。戦争をするのに、すべて自分の考えた通りうまくいくはずがない。危機管理の基本としては、むしろすべてうまくいかないことを前提に考えなければならない。そのように考えなかったこともなかったかもしれないが、少なくとも、それを表には出していない。それを表に出すと戦争ができなくなるので、誰も言わずじまいだったのだろう。つまり、最初に結論があって、その結論に都合のいいように、計画を立てている、ということである。戦争は勝つか負けるかであって、「引き分け」などはあり得ないのであり、結果は必ず出るのであるから、本来なら、自分に都合のいい見方・考え方では、戦争をするかどうかは決められないはずである。

しかしながら、日本はアメリカに実質的に負けることを分かった上で、真珠湾攻撃を計画した。一応、戦争回避の手段も取られたが、これには失敗した。結果的にアメリカの思うつぼにはまったのである。なぜか。ルーズベルトの前の大統領のフーバーが、詳細なデータを収集して、死ぬ前に完成した著作で書いているように、ルーズベルト大統領は、最初から日本と開戦することを画策していたからである。この本はアメリカで２０１１年に出版されている。フーバーが死んでからなんと47年もあとになって出版されたのだ。それだけ、アメリカにとっては大変な本だからこそ、出版が見送られたのであろう。

当時のアメリカでは国民の大半が日本との戦争を反対しており、ヨーロッパにおける第二次世界大戦にも参加すべきではないと考えていた。実のところ、ルーズベルトは当時のアメリカ人の大半が戦争回避を願っていて、それを実現するという公約で当選したのである。しかしながら、戦争準備は水面下で確実に遂行されており、日本の暗号も既に解読されていた。暗号が解読されているのならば、アメリカの日本大使館への打電もすべて判明していたのであるから、真珠湾攻撃もルーズベルトは知っていて当然である。しかしながら、アメリカは真珠湾攻撃は宣戦布告のない、卑怯な日本による奇襲という宣伝をするために、まったく反撃できないやられっぱなしの筋書きを準備していた。結果、思ったよりも被害が多くなってしまうという誤算はあったものの、この攻撃によりアメリカ国民は開戦に賛成するようになる。奇襲でやられたという証拠として、これを防げなかった司令官の左遷も行われ、日本は奇矯な野蛮人の国である、というイメージは作られた。これで、戦争の準備はととのえられたのである。

アメリカはこれだけでなく、さらなる方策まで使ったと見られる。それは、日本側からの宣戦布告を遅らせることであった。アメリカ大使館は、結果的に真珠湾攻撃に宣戦布告を間に合わせることができなかった。なぜ間に合わなかったかについては、現在までいろいろと言われているが、最も可能性の高いのは、日本の外務省にアメリカ側の意向を汲む人間がいただろうということである。事実、日本敗戦後、アメリカと深い関係になっている日本外務省幹部クラスの人々はいた。これがうまくいけば、アメリカは日本を卑怯な国として、「リメンバー・パール・ハーバー（真珠湾を忘れるな）」を合言葉にできるからである。実際に遅れたことから考えて、この可能性は否定できないであろう。

アメリカ側は日本攻略のために、日本語学習を軍人にさせ、日本敗戦後の日本支配のやり方まで、すべてにおいて研究していた。その中にはアメリカの小麦を日本人が主食にすることも含まれていた。それと反対に、日本は鬼畜米英という宣伝文句を使い、アメリカ渡来のものはすべて排除した。野球でも英語を使うことを禁止して、ストライクは「決まり」、アウトは「決まり一本」などに変えた。一部の人々を除いて、アメリカについての研究など、日本政府はやろうなどとは考えていなかった。これでは戦いに勝てるはずがない。

アメリカの国際金融資本家

という訳で、ここまでが日米開戦の概略である。ではなぜ、アメリカは日本と戦争をしようと考えたのか。これについては、フーバーの本でも明確ではない。まず、最初に考えられるのが、実質的にアメリカの政治、社会を動かしてきたのは、ディープ・ステート（闇の政府）と言われるロックフェラーだということであるが、これについてフーバー大統領は言及していない。また、ロックフェラーの前からアメリカをコントロールしてきたロスチャイルドについても、フーバーの言及はない。この両者について言及しなければ、アメリカの政治について論じているとは言えないだろうが、このフーバーにしても鉱山開発で巨万の富を築いたのであるから、ロスチャイルド、ロックフェラーと関係があって当たり前である。それから察するに、ルーズベルト批判はできても、この両者については言及できなかったと見るべきであろう。戦争になれば武器が必要になるので、アメリカの軍産複合体はこれで大儲けができる。軍産複合体もディープ・ステートの一部なのであるから、戦争はロックフェラー、ロスチャイルド、両者にとって、政権運営上の必須条項になっていたはずである。

では、単に戦争自体がルーズベルトの目的であったのか。それぐらいでは簡単に戦争を行うはずはない、というのが常識的な見方だろう。恐らく、戦争で最も大きな利益をもたらすのは、中国のマーケットである。当時はまだ、毛沢東、中国共産党は世界の舞台では知れ渡った存在ではなく、蒋介石の中華民国が中国の政権であった。アメリカは蒋介石との関係をつけており、蒋介石政権がそのまま中国支配を続けていれば、必然的に中国はアメリカ資本が占めたに違いない。恐らく、これが戦争の最大の目的に違いない。実際、南満州鉄道の利権を日本が牛耳った時に、アメリカの方（内実としては、ロスチャイルド、ロックフェラーに決まっている）から、利権の一部分を分けてもらえないかという相談があったと言われている。これに対して、日本側は全面的にノーを突き付けた。日本側からすると、ロシア南下の脅威を避け、そして満州の資源開発もすれば、国益につながると考えてのことであろうが、アメリカと争えば日本が潰されるのであるから、それについても十分な検討が必要だったはずだろう。しかし、日本は満州の利権にしがみついた。

一にも二にも、日本の国際認識の低さは明らかであり、そして、この低さは今も「健在」である。自分たちの利権しか目に入っていないような、視野狭窄の国際感覚のない人の方が普通になっている。

アメリカと中国の関係は、今も最悪である。ウイグルに見られるようなジェノサイド、民族抹殺を行っている中国を、アメリカのトランプ政権の国務長官は「民主主義国ではない」と公式に発言した。これに対しては、バイデン政権の高官も同意している。つまり、アメリカは中国とは徹頭徹尾、戦うと宣言している。これを見ると、アメリカは何のために日本と戦ったのだろうということになる。確かに、日本はアメリカに負けて、実質的に日本はずっとアメリカに服属している。しかしながら、中国のマーケット利権は手にすることはできず、それは中国共産党のものになり、その共産党には手を焼いている。事実上、アメリカは日本と戦うことで、大損をしているといえる。

これと同じことはベトナム戦争にも言える。ベトナム戦争の引き金はトンキン湾事件であるが、これは真珠湾攻撃同様、アメリカ側の自作自演であったことが後になって白日の下に晒された。これは作為的に始められた戦争であり、確かにこの戦争でアメリカの軍産複合体は利益を獲得できただろう。しかし、この戦争に負けたアメリカという国家は、様々な批判以外には、特に何の利益も得られなかった。この戦いも、実は国家的利益ではなく、軍産複合体、国際金融資本だけに利益があったといえる。

アメリカが、似たようなことを二度も繰り返していることが分かるだろう。しかしながら、日本支配の方策は念には念を入れ、日本の国益を十二分にも搾取できる仕組みを作り上げていたのである。

アメリカによる日本支配

ことはかなり簡単である。日本は毎年アメリカの国債を買い上げている。しかしながら、この国債を売ることはしない。と言うよりも、できない。日本は国債を買うことで毎年金を貢いでいる。この関係で、日米安保条約と日米地位協定がある。この二つの条約は、日本のアメリカ従属を決定している法律であり、これに加えて今では米軍に対して、「思いやり予算」と称して、アメリカ軍が日本に駐留する金まで出している。日米地位協定に基づき、アメリカ軍は日本国中どこにでも基地を設置することが可能であり、東京の制空権もすべてアメリカ軍が掌握しているため、民間機は羽田離発着を米軍の許可を得て行わなければならなくなっている。この規制があるので、羽田は非常に飛行機コントロールが難しい空港であり、離発着は長い距離を遠回りしなければならない。さらに米軍には日本の裁判を避けることのできる権限があり、米軍として日本に来る際にはビザも何も必要とはされない。一度、トランプ大統領がアメリカ軍基地に飛行機で来たように、米軍ならば、いつでも同じことができるようになっている。

さらに、日米合同委員会は、その審議内容が公開されていない。やっていることは、日本における意思決定を米軍側に打診して、米軍がそれを認めることができるかどうかについての審議である。日本の何らかの法律などを作りたければ、この委員会が承諾しない限り、作ることはできない仕組みになっている。完全にアメリカのコントロール下に日本は置かれている。しかも、一度として日米合同委員会の改編が行われたことはない。

1952年、サンフランシスコ講和条約締結以来、日本独立からずっと変わらずに、この委員会は維持されている。ここに参加する高級官僚は、日米合同委員会での経験がないかぎり、官僚として出世することはできないことを知っている。アメリカのご意向をうかがえるようにならない限り、出世ができない仕組みになっているのだ。

アメリカの日本支配を考えるうえで重要なのは、食一般についてである。まず挙げられるのは、日本における給食についてだ。戦後に学校給食が始まったのは、欠食児童を救う意味合いもあった。しかしその内容を見ると、明らかにアメリカの日本支配の図式が見られる。まず、最初にパン食である。もちろん、日本においても小麦は生産されていたが、アメリカは小麦が余っており、その余った小麦を日本に送ることで消費可能にした。そして、米食中心の日本人の食習慣を変更することにある程度成功している。大体、自国で生産できないものを主食にするなど、通常では考えられないことである。それを、アメリカは日本の給食制度を利用して達成したのである。世界中を見てみると、このような基本的食習慣が変わった国はほとんどなく、あるのは、日本と韓国であり、両者ともアメリカ支配が貫徹された国になっている。

日本の小麦はアメリカよりも高いので、日本で小麦は必然的に生産されなくなっていき、アメリカの小麦だけが使われるようになる。こうなると、パン食が当たり前の人々は、明らかにアメリカによってコントロールされたことになる。これがアメリカの狙いだといえよう。今から見るとほとんど笑い話にも感じられるが、給食が始まり、パン食が給食で普通になる頃には、なんと、米食は不健康であり、米食は体に悪いという宣伝が一般化していた。今では世界中で、日本食は健康食であり、これによって人々は美容と健康を維持できるとされているが、当時は日本食は間違いであり、悪だと思われていた。どんな科学的根拠なのかということになろうが、そんなことはどうでも良く、アメリカが行っているから正しいというだけだろう。ほとんど笑い話であるが、こんなことまでしてアメリカはパン食を流布させていった。

現代の日本人の大半はこんなことは知らずに、米よりもパンだと思ってパンを主食にしているだろう。特に、朝はパン食という家庭が相当数に上るだろう。朝は軽く、トーストで済ますというやり方がこれである。誰もアメリカ支配がここで行われているなどとは考えないだろう。幸せなことである。

パンと同時期に導入されたのが脱脂粉乳である。アメリカで余っていた牛乳はそのままでは輸出できないので、脱脂粉乳にして輸出したのだ。これも名目上は貧乏国日本救済であるが、アメリカで余ったものを使ってパン食定着の道具にしている。私も小学校の時は給食にこの脱脂粉乳が出たが、味は良くなく、うまいと思った人間はほとんどいないだろう。脱脂粉乳から牛乳に変わったときには、本当に安心した。しかしながら、パン食自体は脱脂粉乳があろうがなかろうが、日本国内で一般化していったのであるから、アメリカの目論見は成功したといえる。

日本国民のすべてとは言わないにしても、かなりの数の家庭が朝食はパン食になっているので、日本を隷属化するための食管理は成功しているといえる。小麦粉に加えて大豆もアメリカ産になっているため、日本は醤油や豆腐を作るにしても、すべてアメリカに依存してしまっている。和食で絶対必要な大豆もアメリカが独占しているからだ。そして、これだけではない。飼料もほとんどすべて外国輸入になっており、その大半はアメリカ産のトウモロコシになっている。飼料がなくては、牛も豚も飼うことはできない。肉は事実上ほとんど国産ではなくなっているのである。

日本で行われている農業政策——申し訳ないが、実際には農業政策ではなく、農業政策と称する日本政府のやり方というのが本当のところだろうが——でも、アメリカのやり方を踏襲して、農業を資本主義のやり方に変えさせようとしている。実のところ、農業は社会共通資本であって、金儲けの道具にはできない。日本に広大な土地はなく、農業は狭い土地を使っているため、アメリカのように広大な土地を使った金儲けは向いていない。大量生産は期待できず、必要な作物を各々の農家ができるだけ合理的に植えて、それを生産する以外に農業の方法はない。日本においては、農業は社会共通資本であり、それを国家、地方自治体が守り、そして育成しなければならない。これができなくなれば、日本の農業はなくなってしまうのである。

既に、日本では主要な作物を守るための種子法が廃絶されてしまった。これは明らかに、アメリカの種子会社であり、農薬会社でもある旧社名モンサントなどの会社が日本で商売を円滑にするための方策である。いわば、農業の資本主義化＝アメリカの資本による日本農業を運営するための政策だ。これに対して、日本の農業を守る農家は、地方自治体の条例で対策を講じている。もし、地方自治体が条例を設定しなければ、日本の農業は潰されてしまうからである。それにも拘わらず、日本政府はＴＰＰで外国からの農作物の輸入を促進させ、また中国中心のＲＣＥＰという経済協力団体からも、同じように農作物の輸入をすることにしている。これらはいずれも、日本農業をつぶしてしまう結果を招くだろう。

我々が今後生き残りたければ、農業を大切にして、農業を育成しなければならない。でないと、ただでさえ少ない食料自給はさらにできなくなり、輸入に頼ることで、日本は破滅の道を歩むことになる。

ここまでお読みの読者はお分かりのように、日本の近現代史を振り返れば、あれもこれもと参考になることが出て来る。これをしっかり学び、今後の未来のまちづくりにこの教訓を生かせるようにしたいと私は考えている。さらに、国政に関わっている人すべてが日本の将来のために努力しているのではなく、自らの利権中心の人々も相当数いることを、我々はしっかり認識して、今後の方策を立てなければならないだろう。国家も自立しなければならないが、我々個々人も自立して、自らの頭で考え動き実践していかなければ、生き残れない。生き残るためには、他者依存は捨て、自ら立つことである。

最後に、識者にとっては当たり前であるが、普通の人は、ほとんど知らないだろうことを付け加えることにする。これも内容は実に簡単である。日本銀行は国立銀行ではなく、一般の銀行と同じ銀行である。ということは、この銀行には株主がいて、その株主の利益のために銀行があることになる。この株主は50％が日本国政府で、残りの株主については、日本国政府は外国資本としか言っていない。しかしながら、世界中の特定国家の中央銀行、アメリカのＦＲＢなどを見ると明らかに、ヨーロッパのロスチャイルド系統の人々がその株主の大半を占めている。つまり、誰も知らないところで、実際に国をコントロールしている人々がいるのである。アメリカの石油王から成りあがったロックフェラーもこのような金融資本家であるが、世界レベルで見た場合、ロスチャイルドの支配力の方が優勢だといえよう。

アメリカによる日本支配は、単なる国家間の支配服従関係だけでなく、国際金融資本であるロスチャイルドの介入がかなりのウェイトを占めているといえる。今の日本政府が出している基本政策のうち、例えば水道民営化は、実際は外国資本による日本の水道利権の譲渡である。水道の維持管理はそのまま地方自治体の責任でありながら、利益は外国資本のものとなり、しかも、時間が経てば水道の品質は落ち、水道料金も上がる、というのが日本以外の国では常識になっていることを知った上で、政府は水道民営化を進めた。水道利権を自らのものとした国際金融資本は、これで莫大な利益を上げることができるだろう。まさに、ここにロスチャイルドが関与している。大牟田も現行では上水道は民営化されていないが、すでに下水道は外国資本がその利権をもっている。恐らく、市役所の方としては、水道の維持管理が難しいなどといった理由で、民営化を言い出すのだろう。これは身売りであって、民営化などといったレベルのことではない。これについてはすでに識者の著作でも言及されている。大半の市民は実情を知らされていないだけのことである。市役所にとって水道利権が誰のものになろうが、どうでもいいのであって、今やっている仕事が減ればそれでいいのだろう。すべてが自分のためだけにやることであり、公共の福祉など、単なる表向きの方便に過ぎない。

この件については、水道の民営化案が静岡県浜松市で出され、猛烈な反対運動が起きた。結果として浜松市は、原案を撤回し、一応原案を宙に浮かしたが、いつ何時復活するかもしれないので、浜松市の人々は民営化に絶対反対の趨勢が強い。これとは反対に、宮城県は、県の方で、水道民営化案が可決されている。ここの人々は民営化の意味さえよく分かっていないのだろう。のちになってから、水道料金が上がったり、水道の質が下がったりして気づくのだろうが、利権が外国資本に渡った後になるので、それを取り返すためには相当な金と努力が必要になろう。実際、外国で起きている事態を知れば、こんなことは簡単に理解できるはずである。

ここまでお読みの読者の大半はお気づきだろう。国政がどうあれ、目を世界中に広げ、世界の情勢を踏まえたうえで、日本の地方自治団体は、さまざまなことを検討して決定しなければならない。ここが重要である。そこで、次の章で取り上げる食糧危機の入門的なことを書いておくことにする。

食糧危機は世界中の人口増加に伴い、ほぼ間違いなく、十数年で到来すると予測されている。もちろん、これ以外の理由で食糧危機になる可能性はあり、天候不順の不作ならば、いつ起きてもおかしくはないし、戦争等の国際情勢の激変に伴い、食料輸出入が難しくなることもあり得る。日本は食料自給率が37％～40％とされており、先進国でこの程度の低水準の国は日本だけである。実のところ、この数字もどこまで信じられるのかという疑問さえある。日本政府は食料自給力を極力高く見積もろうとしており、輸入飼料はもちろんのこと、実際は輸入しているものを国産だと称している場合がままある。日本の食料自給率はそれだけ低いのである。

ちょっと考えれば、いつ食糧危機が日本国内で起こってもおかしくはないのであり、すでに一度、米の不作の年に米が海外から輸入される事態になった。この折、タイ米に不満が高まり、日本米が足りなくなったのであるが、この時の不作は短期間で終わった。幸運なことに、その後は米が不作になることがなかったので、それっきりになっている。こういった米の不作と世界的な食糧危機が重なった場合、主食の米も足らなくなる可能性があり、そうなったら餓死者が出る危険もある。

これだけ恐ろしい事態の可能性があるのだが、日本政府は農林水産省の一部局にこれを任せているだけであり、国家的なレベルでの食糧危機に備えていない。国がやっていないのだから、地方自治体はやる必要はないと思う人が多いのだろう。しかし、何も対策を取らなければ、餓死者が出ることになろう。国がやらなかったのだから、種子法の破棄の後、地方自治体がそれに代わる条例を準備したのだ。国がやらない、やってくれないことを自治体がやることで、そこにいる人々を守ることもできる。

現実的に考えた場合、世界レベルの食糧危機は訪れて当然であり、それに対する備えがなければ、その国家は破綻する。国民の方からなぜ対策を取らなかったのかという批判がなされるはずであり、それから国家は逃げることはできないからである。

食糧危機対策は、国の備えではカバーできないことを、地方自治体がやることになる。これは国家にとっても有難いことになろう。加えて、食糧危機対策を取ることによって、農作物の生産性が上がり、公害がなくなり、環境整備を進めることができる。つまり、地方自治体の活性化が行われることになる。食糧が足らなくなれば、そこに生えている植物、昆虫なども食されることになるだろうが、これが汚染されていては食べることはできない。公害等の環境汚染をストップさせることを、同時並行してやらなければ、食糧危機対策にはならない。

農産物の生産性を上げるというのは、今現在日本国中で進行している、農地がなくなっていることを止めることにつながる。日本国中で進行している休耕地の増加は、生産性低下の一つの要因であり、このまま放置していれば、農業自体ができなくなることを意味する。ここで、一般の人は知っているようでいて知らないだろうと思われることを書いておく。一度畑を止めてしまい休耕地になったところは、再び畑に戻すために何年も時間がかかるのであり、大変な努力が必要となる。もし食糧危機になり、すぐに畑で何か栽培しようと思っても、畑はすぐには使えないのである。つまり、常に畑が使えるように、休耕地にすることは避けなければならない。畑に比べると、田はさらに大変である。休耕地にした田は、元に戻すのに苦労するからだ。休耕地を避けなければならない理由が、これで明確になったといえるだろう。

大牟田近辺は江戸時代からずっと農村地帯なので、これをそのまま保存し活用すれば、そのまま大牟田は田園都市になれる。ゼロからのスタートで新たに田園をスタートするのは大変であるが、元からある田園をベースにして田園都市を形成すればいいのである。最初からあるものを使えば、すべてはうまくいくだろう。しかし、現在上内では老人世帯が大半であり、農業をする人が足りなくなっているのがネックである。もし大牟田都市部、その他の都市部等の人々がここに加わってくれれば、意外に簡単に街は活気づくかもしれない。なぜならば、参加した人々が元からある田畑を活用すれば、食料自給率もあがり、街が活性化するからである。大牟田はわれわれのまちであり、われわれのまちの農業は我々が育て、我々が維持できるようにしよう。もともとの上内の人であるとかないとかは何も関係がない。大牟田はわれわれのまちである。

人間何かを始めるときは意外にエネルギーがいるが、いざ始めてみれば、後はやるだけになり、継続可能になる。大牟田のまちづくりは、一人でやるのではなく、大牟田の仲間と一緒であり、いろんな仲間と一緒にやればよい。もともとの知り合いもいるだろうし、初めて知り合った人もいる。いろんな人がいるから楽しいし、やりがいも湧く。分からないことは専門家に聞き、謙虚に習い、そしていい作物をいっしょに作っていこう。そうしていくと、こんなに楽しい生きがいはないことに気づくだろう。

【第三章】日本における食の状況

この章では、これまでに出版されている本に基づき、日本における食の状況について考える。簡単に言えば、日本の食は輸入に依存しており、この状態がこのまま続いて世界的食糧危機になれば、日本は破綻するだろう。今ならまだ間に合うだろうが、何もしなければ間違いなく餓死者が出ることになる。それだけ、危険な状況にあるといえる。

まず、東京における食料自給率は、わずかに1%となっており、食料の輸入が止まれば、2週間程度で食料はなくなる。大半の人々はこんなことは知らずに毎日生活しているのだろう。もし、ちゃんと知っていれば、日本国政府に苦情を申し立てるだろう。本当に輸入が止まれば、生活ができないどころではなく、命を長らえることさえできなくなるに違いない。

世界で最も食糧事情が悪い国は日本

世界の食糧事情を言えば、全世界で8億の人々が飢えている。地球上の人類のうちこれだけの人が飢えている中で、日本がこの飢えから逃れているのは経済力があるからだ。しかし、日本が現在安全だからと言って、それがそのまま継続するかどうかは誰にも分からない。先進諸国の大半は食料自給率１００％以上である。この中で唯一低いと見られるのがイギリスであるが、イギリスでも74％であり、もし食料の輸入が全面的に止まったとしても、イギリスは何とか飢え死にから逃れることができるだろう。日本の食料自給率は、37％～40％なので、食料輸入がストップしたら、ある程度自給できていると考えられる米以外は食べられなくなる。しかしながら、現在の日本では米を主食にしていない人が増えており、その結果米が足りている面があるので、小麦等の輸入が止まれば、必然的に米を主食とする人の人口も増えることが予想される。となると、米も１００％自給とまではいかなくなるだろう。食糧危機に米の不作が重なれば、相応な混乱が起こると予測できる。国内において餓死者が出て来るだろうし、食料の取り合いが起こるだろう。日常生活自体が、戦争、バトルになるに違いない。

最初に米の話になったが、米は単に食糧というだけでなく、家畜用の飼料としての使い方もある。現在家畜飼料の大半は輸入であるが、米を使えば、その輸入を減らすことができる。こう考えれば、米の生産にも多様性が見いだせるため、現在の米の生産を高めることにも繋がるだろう。しかしながら、鶏の場合は、トウモロコシでないと卵の黄身の色が十分につかないという難点があるそうだ。よって、米は適していないという判断がされがちである。品質には何も問題ないのであるが、黄身の色が足らないと感じられるらしい。意外に、このような違いが卵の売れ行きに影響を与えているという。

この話は置いておくとして、食用の米の生産についてである。生産量自体が低いので、とにかく生産の絶対量を高めなければならない。そして、現行の生産量では1年分の備蓄には達していないので、まずは1年分は備蓄できるようにしていかなければならない。食糧危機になれば、その間食料は輸入できないのであるから、そのうちに食料が足りなくなってくるはずだ。だからこそ、食べられない人々が出て来るのを防ぐ対策をしておかなければならない。

米は、現行では不作にならなければ何とか自給可能である。しかし野菜は難しい。例えば、ファミリーレストランでは安い中国産が主流になっている。一応家庭での中国産野菜の使用率は高くはないが、業務用を含めて見れば、全体的に中国産に依存している。東京の場合、野菜も他所からの移入が大半であり、地産地消などの可能性はまずないだろう。東京のように人口が集中している大都市においては、野菜の生産は無理がある。その点、大牟田のような地方都市は、ある程度恵まれており、地産地消もやり方次第では可能である。このような可能性があるにも拘わらず、生産者減、生産減によって、地元でとれた野菜を食べられなくなっており、これは何とか解決しなければならない課題であろう。

食糧事情については、まず、日本の農林水産省がこれにどのように対応しているかを考えなければならない。端的に言えば、一応対策は取っているのだが、別段有効な手段にはなっていないからである。

農林水産省の動き

１９９９年に、日本政府は「食料・農業・農村基本法」を成立させた。これによると、価格が暴落することがない限り、農作物の価格は市場原理によって決定させるとされている。これは、農業を我々の共通な資源とする考えではなく、資本主義に位置づける考え方に基づいている。つまり、新自由主義の考え方に依っているといえる。こうなると、日本の農家はより安い外国産農産物との競合を強いられ、価格競争に負けてしまうことが予想できる。もし、日本の農家を保護したいのであれば、農業の生産性をあげる施策を実行し、日本の農業を守る必要があるだろうが、それは実際には行われていない。かえって、種子法の廃止に見られるように、アメリカの種子、農薬等の会社が日本において儲かるような施策をしている。つまり、スローガンとしては日本の農業を守るといいながら、実際にはアメリカの会社が儲かるような仕組みを作っている。これに対しては、すでに言及したように、農家は地方自治体に訴え、都道府県の条例で対抗している。さらに、国会ではこの影響で、種子法の見直しを議論すべきだという意見も出ている。国に対し、地方の自治体が自らの見解を出して、国政に要求を出している。農家にとっては、まさに生き死にが関わっているのであり、今後もこの情勢は変わらないと考えられる。

この法律では、「食料の安定供給の確保」、「農業の多面的機能の発揮」、「農業の持続的な発展」、「農村の振興」がうたわれている。聞こえはいいだろうが、最初の「食料の安定供給の確保」は、簡単に言えば、日本における食料自給はその目標になっていない。もともと日本は農産物を自給自足していた。しかし高度経済成長期から事情が変わっており、その頃から食料自給はできなくなっていた。にもかかわらず、高度経済成長以前の自給率維持でこと足りると考えている。もともと農林水産省は、日本は高度経済成長期に工業製品を輸出し、食料などは発展途上国から輸入すればいいと考えていたが、実際は発展途上国ではなく、小麦、大豆など、その他飼料に至るまで、アメリカに頼ってきた。想定していたことと実際に行っていることが一致していない。しかも、国際情勢は昔と事情が変わっており、今や食料は戦略物資であり、これをめぐって、世界は混とんとしているのだ。食料自給ができなければ、その国は維持発展が難しくなっている。一応、表向きは国内生産を増やすといいながら、実質的には輸入に頼る姿勢をもっているのだから、これではうまくいくはずがないだろう。この基本路線は、農林水産省以外の各省庁も同様だろう。アメリカの属国待遇を改善しようという意思がないのである。

次の「農業の多面的機能の発揮」はお話としてはかなりいいことを言っている。ここでは「国土の保全、水源のかん養、自然環境の保全、良好な景観の形成、文化の伝承等農村で農業生産活動が行われることにより生ずる食料その他の農産物の供給の機能以外の多面にわたる機能」を多面的機能と呼んでおり、これを適切かつ十分に発揮しなければならないとしている。しかし、現実の日本の農村は、このようにはなっていない。生産量低下、人口の減少、その他の理由で田畑は荒れ、休耕地が増えている。さらに、「農業の持続的な発展」については、種子法の廃止に見られるように、種子を輸入することが一般化しており、持続などできないのが普通になっている。ちゃんと外国から種子を輸入することをやめさせ、国内の種子を使うことを当たり前にすべきであろう。しかも、このお話の字義通りにやっている有機農業は、生産性の低さが原因で価格が高くなっているので、発展させようにも発展できなくなっている。つまり、どれも言うだけでその取り組みはまるでなっていない。

また、「農村の振興」は皆様ご存じのように過疎化が進行しており、とても振興などできる状況ではない。かえって、都市とのとてつもない経済格差が生じている。

農業政策との関連で最後になるが、もともとは農協（今のＪＡ）と言われる団体についても考えなければならないだろう。積極的参加であるかどうかは別にして、日本国中の農家がこれに参加している。今の日本政府は、ＪＡを廃止して、アメリカの企業経営を望んでいるので、ＪＡも生き残りに大変な状況だろう。農家からは、ＪＡもあと数年ではないかという話をよく聞く。

一応、ＪＡは農業の団体であるが、その業務内容を見ると、農業そのものではなく農林中央金庫を中心とするＪＡバンク、ＪＡ共済連の保険業務をやっている。実質的に農業と直接関係のない、これらが利益を生み出しているのだ。いわば、一種の利益団体が様々な投資などに手を出しているといえる。もちろん、農業についてもそれなりの業務はあるが、旧来からいる会員すべてに平等な対応に基づき、ＪＡによる価格決定は同一規格、つまり、同一価格になっている。これは有機栽培だろうが非有機栽培だろうがすべて同一価格になっているということだ。よって、有機栽培などをやっている農家などは、ＪＡ離れをしており、逆に大規模農業などをやり、利益を上げようと思っている農家もＪＡから離れている。ＪＡはいい意味で、農業を資本主義化させず、共通資本としての農業を維持させている組織ともいえるだろう。しかしながら、国家全体の枠組みとして農業の保護、育成を達成するという考え方と、独自のやり方で有機農業をやったり、大規模農業をしている場合とは、別枠で考える必要もあるだろう。この点がＪＡの問題として指摘できる。

ＪＡには日本の農業を守るために、農業振興の方策を考えていただきたい。事実農協は農業以外の不動産業などによって利益をあげており、このままでは本来の役割を果たせなくなるのではないだろうか。

農薬の恐怖

日本の農業を考える際に必須のことは、政策だけではない。人々が食べるものなので、その安全性に関することを考えなければならない。これについては、農薬の使用について様々な著作が出版されているので、ここから考えてみよう。

私の友人であるノンフィクション作家の奥野修司氏も、前々から農薬について著作を著している一人である。氏の著書を読むと、我々が知らない間に日本ではこれだけの量の農薬を使っているのかと驚く。ヨーロッパからの旅行者に聞くと分かるが、彼らは出国の時

図表2　国内産野菜・果実類中の残留農薬実態調査（2016年度版）（奥野：p.21）

検出率100%		
キュウリ	10/10	●
ホウレンソウ	5/5	●
ピーマン	3/3	●
白菜	1/1	●
ネギ	1/1	●
ニホンナシ	4/4	●
ミカン	3/3	
リンゴ	2/2	●
ブドウ	1/1	●
モモ	1/1	●

検出率50%超		
ナス	3/4 (75%)	●
トマト	5/7 (71%)	●
キャベツ	6/12 (50%)	●
バレイショ	2/4 (50%)	●

検出率50%未満		
サツマイモ	1/3 (33%)	
大根	1/8 (13%)	

検出されず		
ニンジン	0/5	
蓮根	0/2	
ブロッコリー	0/1	
アスパラガス	0/1	
スイカ	0/1	

2016年度に東京都内で販売されていた国内産農産物22種80作物の残留農薬を調査 ⇒ 17種50作物から39種類の農薬が検出された（検出率63%）

※●はネオニコチノイド系農薬の含有の有無を示す。

に、日本では野菜をなるべく食べないようにと書かれたチラシをもらうという。恐らく日本の人はこんなことになっていることを知らないだろう。世界的にみると、日本は大量の農薬を使っている国であり、その毒性のために危険視されている。

次に、農薬使用についての各国別の統計である。中国、韓国、日本が毎年トップ争いをしている。一応このグラフでは日本は3位であるが、これら三者の違いはあまりない。それだけ、農薬の使用量が多いということである。農薬について、日本政府は外国産の農薬をできるだけ認可するという基本的方針をとっている。なぜかといえば、外国で禁止されていて、毒性があるとされているものを日本で認め、農薬を作っている会社が儲かるようにするためだ。これらの会社の後ろには、ロスチャイルド等の国際金融資本がひかえており、日本政府は国際金融資本への利益を高めるように動いている。

図表３　１ヘクタール当たりの農薬使用量（2017 年）（奥野：p.38）

	kg/ha
中国	13.07
韓国	12.37
日本	11.76
オランダ	7.9
ドイツ	4.03
フランス	3.6
アメリカ	2.54

このような農薬のうち、最近はネオニコチノイド系の農薬の安全性が疑われている。これには発達神経毒性があるので、特に発達期の子どもがこの農薬に汚染されると、脳神経がやられてしまう。その症状についてはまだよくわかっておらず、何らかの被害があるのは間違いないが、その具体性ははっきりとしていない。ＯＥＣＤ基準のテストガイドラインでは、発達障害について判定できないので、その危険性があっても検視できないのである。実際はこれだけ危険なのであるが、日本の法律では使用が許可されている。もちろん、ＥＵ諸国その他ではその大半が禁止されており、使えなくなっている。日本はこの意味では「農薬大国」であり、

図表４　日本と諸外国のお茶の残留農薬基準値比較（奥野：p.44）

	農薬名	日本	台湾	韓国	EU	日本の基準値は…
日本で許可されている7種のネオニコチノイド系農薬	ジノテフラン	25000	10000	7000	10	EUの 2500倍
	チアクロプリド	30000	50	10000	10000	台湾の 600倍
	チアメトキサム	20000	1000	2000	20000	台湾の 20倍
	アセタミプリド	30000	2000	7000	50	EUの 600倍
	クロチアニジン	50000	5000	700	700	EUの 71倍
	イミダクロプリド	10000	10000	30000	50	EUの 200倍
	ニテンピラム	10000	ND	10	10	EUの 1000倍

（単位：ppb）

毒性についての厳密な試験がなく、大半が実質的に許可されている。アメリカの企業としては、こんなにありがたい政府は他にないだろう。実際、日本以外の世界では大々的に報道された、旧社名モンサント社の農薬でガンになった訴訟では、数百億円が支払われることになったということもある。日本では、日本の国策に反するような報道は行われていない。

スーパーマーケットに行き、野菜売り場に行けば分かるが、野菜は粒揃いであり、虫食いなどないのが普通であり、工業製品と同様な「農業製品」が売られている。このような規格品を栽培するためには、農薬と肥料を大量投入しなければならない。一般庶民はこんなことにも気づいておらず、見た目のいいものを争って買い求めている。客観的に言えば、見た目が良ければ良いほど、それだけ毒性が高くなっている。

まだまだニコチノイド系農薬の毒性については分

かっていないことが多々あるが、アレルギー疾患、アトピー性皮膚炎などとの関係が疑われている。これに加えて、肥満になりやすいのも事実である。しかも、一応設定されている安全基準であっても、いろんな症状が出ており、安全基準自体が安全ではないことも分かっている。感受性には個人差があり、皆が同じ反応をするわけではないからである。人によってはかなり農薬が濃厚であっても反応しないが、基準値レベルでも反応する人もいる。実験では、１００匹から１０００匹に１匹ぐらいまでは注意されるが、１万匹のなかの１匹レベルになると、単なる誤差扱いになってしまう。もし、１万人に１人の確率ならば、１００万人いれば１００人になる。基準値は最も感受性の高い人に合わせる必要があるはずだが、

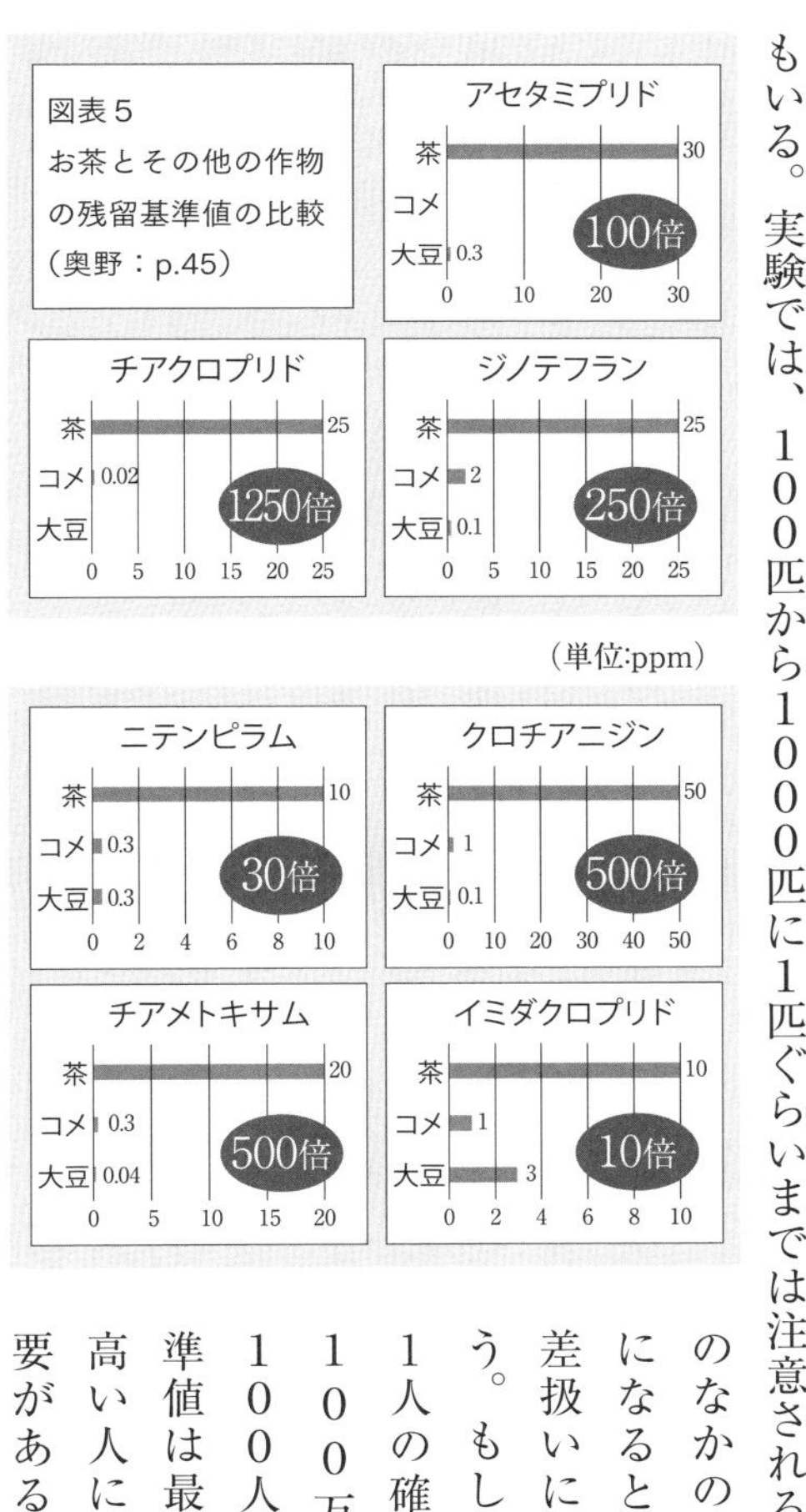

図表５
お茶とその他の作物の残留基準値の比較
（奥野：p.45）

現行ではこのようになっていない。農薬を生産している方もこのような実態があるので、裁判などになった場合、証拠不十分で逃げることができる。

近年、農薬汚染が裁判沙汰になって、原告勝利になる例があるが、これは科学的データを会社側から入手していることが反映されていると考えられる。日本では、水俣病でさえ裁判が長く戦われ、それによってなんとかチッソ側の罪が認められているが、大半の訴訟では証拠不十分の方が普通になっている。さらに、様々な農薬が使われていることにより、単一ではなく複数の農薬や農薬と他の要因との関係などによる複合汚染の可能性もある。これについてはネオニコチノイド単体ではないので、さらに因果関係がはっきりしなくなる。農薬は複合毒性のあるものが普通であるため、複合汚染・毒性についてはほとんど何も分かっていない。

最近の農薬関連では、ラウンドアップがその毒性で注目されている。これによって、グリホサートが検出されているからだ。グリホサートは強力な除草剤というキャッチフレーズで売られており、農業だけでなく、道路、駐車場、学校などでも使われている毒性のある薬品である。これが、アメリカ、カナダの小麦には大量に含まれている。これらを含む遺伝子組み換え食品については、日本ではその表示をしなくてもいいような法律が通っている。消費者ではなく、会社にとって有利な条件が整えられているといえる。これによって、深刻な疾患が出るなどとは誰も思っていないのだろう。

最後に、奥野氏の著書より、「農薬工業会」からの批判の反論を紹介しよう。以下はその反論の中身になっている。これを読むと、農薬の問題がどれだけ深刻であるかが分かる。食品安全委員会などでは、農薬は少量なら無害という見解であり、それによって安全基準が作られているが、果たしてそれはどれだけ安全であるかという疑問がある。何をもって少量というのだろうか。少量でもそれなりの症状が出る場合もあり得るのであり、相当厳密な精査が必要だろう。それがやられていないのである。研究者の間では、神経レベルの影響については急性中毒ではないとされており、かなり測定が難しいと考えられている。さらに、食品安全委員会は学術雑誌の結果などは参照しておらず、自前のデータだけでしか判断していない。研究者の見解は排除している。これでは、客観性に問題があって当然であろう。

また、本文から引用すると次のようになる。「農薬工業会は、現行のテストガイドラインに記載された毒性試験をやれば毒性がないと判断するスタンスと思われるが、現行の一般的なガイドラインには課題があり、発達神経毒性を十分に捉えきれない」、つまり実際に行われているテスト自体が問題なので、これで安心、大丈夫とはならない、ということである。さらに、「２０１９年４月以降、日本の農薬登録において発達神経毒性が入れられたが、必須項目ではなく、しかも古いＯＥＣＤの方法を取り入れており、これでヒトの高次脳機能への影響が調べられるわけがない。チアメトキサムでは、投与群（ラット）で脳の大きさや形態に異常が起きているのに、これは体重低下によるものと解釈し、発達神経毒性は認められなかったと評価書に記載している。また、アセタミプリドでは同じくラットで聴覚に異常がおきていることが抄録に記載されている。自閉症でみられる感覚過敏につながる聴覚障害があるのに、低用量のデータが記載されずに無毒性量が決められている」ということで、やり方自体が旧式であり、現在の科学的手法がとられていないことが分かる。「農薬工業会の主張は〝政府が指定する試験を全てカバーし、政府はそれを承認している〟から人への安全性について問題がないといったものですが、学術論文における動物での行動負荷試験では、食品安全委員会が安全だと言っている濃度でも大きな影響（神経毒性）が認められているのです。我々は、従来の安全性基準ではヒトの健康をはかるのに十分ではないと指摘しているのに、都合のいいデータのみを採用し、従来の試験法で安全性に問題がないと述べる農薬工業会趣旨は、特定の限られた試験（観察）のみを行って影響がなかったから安全だ（ないことを証明？した）と言っているに等しく、極めて危険で説得力に乏しいです」。

以上、読めば分かるように、農薬工業会の見解は科学的に見て、承服できるような内容ではないことが明らかであろう。しかも、自らの権威を政府の見解などに求めており、学術的な発想が希薄である。全体的に見ると、「少量だから安全」、「安全性は確認されている」、「食品安全委員会で評価されている」という言葉が並んでいる。前二者については、現実に少量でも問題が起こっているのであるから、反論になっていない。最後については、政府見解があればすべてパスにしたいのだろうが、これも学術的には問題視されているので、学術的な裏付けが必要になる。

今後の大牟田における農業の育成について考えるとき、最初から無農薬ですべてやることには無理があると考えられるが、現在の世界及び日本の状況を考えると、農薬使用はなるべく少なくする必要があるだろう。それが、結果的に付加価値を高めることにもつながる。最初はそのような取り組みから始めて、有機農法も学びながら、徐々に有機に近づくことが必要になるであろう。

野菜も生鮮食料品なので、朝取り野菜が一番おいしいのであり、一番おいしい野菜を食べられる地産地消があるべき農業の姿になるであろう。そして、ここで言われているように、形もそれぞれ、多少虫食いがあり、不揃いが当たり前、という感覚を我々は学ぶ必要がある。これを原則にして、直売所では、毎日朝取り野菜を売ることが重要である。これが定着すれば、売る方も買う方も、お互いがお互いを支えあえる関係になれるだろう。

日本漁業の根本問題

次に論じるべきは、海産物である。有明海に面した大牟田は、海産資源に恵まれている。しかしながら、私も含めた一般人は、農業以上に漁業については不案内である。そこで、著作を使ってまず日本漁業の問題とその克服方法について考え、次に、具体的に大牟田の漁業関係者に話を聞いてきたので、それに基づいて考えることにする。日本の漁業一般について、概略的説明をした後に、これを展開することにする。

農業については政策上の問題が色濃いが、漁業もそれと同様であり、かなりそれが分かりやすい状況になっているため、考察しやすくなっている。

漁業は農業以上に様々な問題がある。農業と異なり、漁業は養殖以外は狩りによって生業が成り立っており、確実な収益が常に得られるとは限らないからである。実のところ、日本の漁業は今日まで、その生産についての科学的調査に基づく調整などはほとんどされておらず、各々の漁業者の自主管理に任されてきた。昨今の日本近海における漁業資源がなくなっていることもこれと関連しており、まず、漁業資源の管理について考えなければならないといえる。

片野歩『日本の漁業が崩壊する本当の理由』は、今日の漁業の問題とその克服方法について詳しく書かれている本である。筆者の片野氏は、２０１５年にアメリカのニューオリンズで開催された、「第12回シーフードサミット」（水産物の今後の維持についての国際会議）において、日本人初の最優秀賞を受賞した。その授賞理由は、水産資源の管理に関する日本と海外との比較が、世界の水産関係者に驚きをもって受け止められたからだ。世界がやっているような水産資源の維持のための管理を、日本はやっていないことが驚きだったのである。

資源には限りがあるので、それを維持するための計画を立て、それを実行しなければ、当然資源はなくなっていく。水産資源についても、世界中の国々はそれを理解しているので、資源が維持できるような仕組みを各国で作っており、結果として日本を除く国では、水産資源が保護・維持され、その生産性も上がっている。上がっていないのは日本だけになっている。

この維持はそれほど難しいことではない。日本がやれていないのは、個々の漁業者に水産活動を丸投げしているからだ。水産資源の維持・管理についてはその専門家が科学的に調べ、そしてその内容に基づくプランを国家が作成しなければならないが、それがされていないのである。

最も基本的なやり方は、ＴＡＣ（漁獲枠）と呼ばれる、水産資源保護のためにどれくらいならば漁獲可能なのかという予測である。それに基づいて漁獲制限が行われれば、水産資源はまもられる。もし、極端な形で漁獲資源が失われれば、禁漁にして資源の回復を待ち、それが回復したら漁獲を始めればよい。この方法について、日本では科学的な知見が十分ではないという言い方がよくされる。しかし、そのまま野放しにしておけば、科学的に見て資源はなくなっているのだから、何らかの方策が必要になるはずだ。ところが、何も対策はなされず、そのまま現状維持になっている。

日本でも表向きTACが導入されたが、海外の漁業先進国と比べると、極端に対象魚種が少なく、サンマ、スケソウダラ、マアジ、マイワシ、マサバ及びゴマサバ、ズワイガニ、のわずか7種類のみである。つまり、日本においては水産資源の管理をして、これからも水産資源を取り続けられるようにするのではなく、取れるだけ取ってその時に金が儲かればいいと考えていることになる。実際、漁師の方も昔からそのように考えて漁をやってきたので、当事者である漁師と国家・行政どちらにも、水産資源という発想が希薄であるといえる。だいたい、水産資源を守るためには規制があって当たり前のはずだ。漁獲高については、これまでの経験と科学的調査に基づく現状からある程度推測すればいいのであり、厳密な科学性などは必要とされるはずがない。

今後、日本の漁業が生き残れるかどうかは、手遅れになる前に個別割当制度（ＩＱ、Ｉ

ＴＱ、ＩＶＱ）を導入できるかにかかっていると考えられる。

このように、専門家の意見を聞けば、やるべきことは既に決まっていることがわかり、そのやるべきことをやるかやらないかが問題になると考えられる。

最後に、大牟田における漁業の状況について考える。近年、有明海で元々とれていた貝などが取れなくなっており、資源の質自体が変わってきている。この原因については家庭排水や、貝の取りすぎが関係している可能性があり、恐らく世界全体で進行している海温の上昇も関係しているだろう。さらに有明海にフォーカスすると、福岡の水不足解決のための筑後大ぜきがあげられる。このために海の栄養が足らなくなり、砂も流れなくなっているそうだ。海底の地盤が関わっており、海水の比重が変わったという。アゲマキなどは、今は取れなくて当たり前になっており、水産試験場によると、その原因は不明だという。昔は無尽蔵にとっていた、ということもあり、ここにおいては資源を守るなどといった発想自体がなかったといえる。

今後の対策は、まず片野氏がいうことについて漁協、水産試験場で検討し、漁獲枠をつくること。そして、それを漁業関係者に守らせることが重要だと考えられる。そうすれば、漁業資源の枯渇は防げるだろう。全国的に有名になっているうなぎは、このままいけば枯渇することになるだろうから、これは分かりやすい事例である。守らない限り、資源はなくなるだけである。

【第四章】

大牟田の農業について

この章では、大牟田の農業について考えるために、江戸時代から農業中心に共同体を形成してきた上内について検討することにする。

実際に私は、上内から聞き込みなどを始めた。聞き込みをさせてもらった人々の大半は、大牟田市の農業委員会に所属する方々である。彼らは、これまで上内の農業を育成・発展させるためにご尽力いただいた人々である。

上内から始まる農業実践

これらの人々との話の中で、今後の農業の発展の話になれば必ず出てくるのが、後継者問題である。上内では過疎化が進んでおり、高齢者が農家の中心になっている。実質的に農作業をする人が足らなくなっているのだから、この問題の解決策として、それを助ける人々が必要になっている。大牟田を中心としたまちの人々が、その中心になる必要があるだろう。毎日、農作業をするのではなく、仕事のある人は土日だけでもよい。定年退職した人ならば、時間があるときでいいし、家庭菜園でも構わないので、いっしょに農作業をしていただければ、十分だと考えられる。

このように書くと、「ああ、農作業か」と思われるかもしれない。確かに、農作業が仕事の中心になるのは事実である。しかしながら、上内に行って単に農作業だけをする、ということにはならないだろう。大牟田の町場とは異なり、上内等で今でも農業をやっているところは伝統社会なので、もともとの土地の人々が昔から農業を生業としてきた。ここには、神社、お堂、お地蔵さまなど、地元の人が大切にしてきた宗教に関連する遺産があり、それに基づいた人々の関わり、結束が維持されてきた。町場の方にもこのような遺産がないわけではないが、代々その土地で暮らしてきた人々はほとんどおらず、その大半が他所から移ってきた人々なので、宗教に依る人々の結びつきはかなり希薄なのが実態だろう。これは、町場の人々の特徴でもある。自分たちも他所から来た人間だからこそ、他所からの人々に親切であり、閉鎖的な態度はあまりとられない。ここは大牟田のよさでもあろう。逆に、上内のように伝統文化があるところは、元々の土地の人々がいるので、一種閉鎖的なところがあるし、他所からの人々がその場所に慣れるのにある程度の時間が必要になる。

このような伝統は大牟田にもあり、そこで何らかの活動をするのならば、現地に対する理解が必要になる。まずは、現地の文化を学ばなければならないだろう。私は長年、このような文化の学習をやってきた人間であり、日本国内のみならず、外国においてもこれを実践してきた。文化の学習は、一言で言って、楽しい活動である。自分とは違った文化に生きている人々からその文化を学ぶことで、自分自身の生活の範囲が広がり、今まで知らなかった世界を理解できるようになる。上内との関わりを持つことで、こんな楽しみが加わる。大牟田の町場では味わえない雰囲気が味わえ、伝統文化の深みも学ぶことができる。我々は伝統文化も学びながら、現地の方々から農業についても学べるので、一石二鳥とはこのことである。

上内は、上内をひとつのエリアとして見た場合と、もともとからあった各々の部落で見た場合と、二つの側面をもっている。例えば、釈迦堂にいけば、いまでも大きなお堂が残っている。このお堂に人々は会して、お釈迦さんへの感謝をもってお参りして来たし、また、ムラの会合もここで開かれてきた。今では、わざわざ釈迦堂でやることは減ってきたであろうが、それでも地元の人々は、もともとここがどのような場所だったのかを知っている。ここはムラの人々にとって大切な場所である。我々も、他所からの人間とはいえここに関わるのならば、現地の人々同様にこの釈迦堂への感謝の気持ちを共有して、現地の人々と交わる必要がある。これは大変気持ちのいい体験になるだろう。現地の人々と我々がこの世界のあり方を共有し、お釈迦さんへの感謝も共有できる。宗教の宗派が何であるのかは関係なく、何かに感謝するというのは気持ちのいいことである。対象が、聖書なのか、仏像なのか、アラーの神なのかは関係ないだろう。

また、上内全体ということになれば、八幡（上内八幡神社）がある。ここは上内全体の人々にとって、大切な八幡様がいる場所になっている。この八幡信仰をもとにして、上内を事実上の知行の地としてきた内膳家は、ここから三池の大蛇山の寄進をしている。上内だけでなく、大牟田の各地域が、地元の神を介して関わってきたことが分かるだろう。我々もその例にならって、同じように関わりを築いていきたい。

大牟田人の気質

我々は文化の学習もできるというメリットをここまで語ってきたが、ひとつ、私としては懸念がある。それは、すでに論じた三川の大水に寄せられた意見についてである。大水が出た直後に、私はここで論じたことをフェイスブックで報告した。これに対してはそれなりの反響があり、その大半は私が書いていることに好意的であった。しかしながら、好意的ではないものもあった。それが、「お前は被害の当事者でもないのに、なぜ、そんなことが書けるのか。私は被害の当事者だから書けるが、お前は当事者ではないのだから、そんなことをする資格はない」というものであった（これに対して、賛同する人はあまりいなかったが）。もちろん、当事者しか分からない、知らないことはあるだろうが、当事者の主観だけでこのような水害について考えられるということでもない。今回私が書いているように、行政の対応などは別に当事者でなくとも書けて当たり前であり、主観ではなく、客観的に事情について論じることは、できて当たり前である。

どうも、このような一種の縄張り意識なり、当事者性に基づくテリトリー意識というものが、大牟田にはあるように思われる。現在の大牟田は、私が小中学生のときのように、町ごとに社会階層が異なり、職業もある程度町と対応してはいない。いわば、混ざり合うように変化している。ところが、年齢が50歳以上の人々になると、まだ昔日のあり方が頭にインプットされているのだろう。その時代のあり方が、上記のような縄張り意識と関係していると考えられる。例として、私がいた上官あたりでいえば、生活保護をうけている失対に関わる人々が挙げられる。これらの人々は下層労働者とはいえ、それなりのプライドをもっており、自分たちの生活に他者が関与することには抵抗がある。例えば、これらの人々に対して外部の人間が、「このままずっと生活保護生活を続けることは好ましくないし、今後は自立経済に向けて、生活改善が必要だろう」などと提案しても、誰も振り向かないだろう。彼らにとっては、これは自分たちの生活への介入であるため、縄張りを荒らされたと認識してしまう。町内ごとに様々な不文律があり、地元の人でないと分からない事情がある。それが一種、排他的な縄張り意識につながっている。いわば、自分の分を知り、自分のテリトリーを守るとともに、他者の縄張りには関与しない、という基本的態度が形成されている。こういった基本的態度になると、自分の殻に閉じこもりがちになり、一歩出なければならなくなった事態になったとしても、そのままという傾向になる。自分の縄張り内部にいれば安泰だが、それから出るようなことをすると、自分が潰されてしまうかもしれない。ならば、そのまま何も変わらずに、ずっと今の自分であり続ければいい、ということになろう。

このような基本的姿勢が、「当事者以外、関わるな。当事者以外関与する資格はない」という基本的構えになる。このような姿勢は、新しいものを拒み、事情を変えようとしないという態度につながる。これでは、状況改善とか、新たな発想でよりよい街を創り出す、という発想にもならないだろう。この本で展開しているのは、これからの大牟田のまちづくりを一緒にやっていきましょう、新たな大牟田をいっしょに作っていきましょう、ということなので、単に現状維持では、新しいことはできない。ここが、新しいまちづくりをする上での阻害要因になっていると考えられる。

個々人からすると、このような基本姿勢はごく普通の態度でしかないだろうが、三井城下町大牟田という観点でいえば、大牟田の人が町内ごとにバラバラで、大牟田の人が一つにはなれない仕組みは、あえてそうなっているといえる。大牟田市民が一丸となっては、管理する側の思うように物事を進められないので、企業が支配するには都合のいい形態といえるだろう。これは、別途書いているように、与論島の人とそれ以外の出身者との区別にも結びつく、労務管理にもつながっている。結束のない、無関係な人間ばかりが、管理するときは都合のいい人びとになる。ところがこれは、これからのすばらしい大牟田をみんなで創っていこう、ということを実践するとなると、うまくいかない要因になってしまう。何かを達成するときには、大同団結が必要となり、お互いに気を使いながら、お互いのためになるように協力し、都合の悪いことは力を合わせて克服する努力が必要になる。それを面倒がったり避けたりしていては、目的・目標は達成できないだろう。今後の大牟田のまちづくりにおいて、このことは重要な検討課題だと考えられる。

農業のやり方を学ぶ

それでは、上内を中心とした農業関連の具体的な提案についての話に戻すことにする。伝統文化も学びながら、家庭菜園からでも構わない形での参加が必要ということを書いてきた。次に、家庭菜園をやる際のやり方は地元の人々から学ぶとして、基本的にどのような路線でやっていくのかが重要になる。

上内で町場の人が家庭菜園をするような枠組みは、すでに大牟田市役所で作ってある。市民農園という枠組みがあるので、それを使えばいい。これに、上内の人々との協議をしてこの枠組みを今後広げ、休耕地を少なくする方策を取ることも決めていく。家庭菜園ボランティアを募り、一緒に農業をやる人々を募り、仲間を増やしていく。1か月に農地使用量、1000円、2000千円程度から始め、まずは何か作物を栽培する。そこで栽培されたものは栽培した人のものとし、自分のところで食べられる。地元の人々にとっては、休耕地が減っていくというメリットがある。家庭菜園でできたものは、最初は自分の家で食べるだけだろう。しかしそのうち栽培量が増えて、だんだん個人消費だけでなく、出荷もできるようになっていくはずだ。そうなれば、栽培した作物を直売所で売ればよい。直売所は、上内だけでなく、大牟田の町場の方にも作り、大牟田市民の便宜をはかる。これがないと、直売所があっても流通させることが困難になるからだ。とにかく、小遣い銭程度でも利益を出すことを目指す。こういった取り組みをしないと、上内現地の人は何のために土地を貸しているか分からなくなる。

上内で家庭菜園が軌道に乗り、一部の人々が土日農業や定年退職農業でそれなりにうまくいくようになったら、これを上内以外の場所に広げる。吉野、歴木でも同様のことをやる。こうやっていけば、大牟田郊外の農村地域が活性化されていく。そして、大牟田市民は朝採れ野菜を毎日食べることができる。地産地消が当たり前になっていく。大牟田市民にとって、これは生活上の大きな変化になるに違いない。

大牟田の場合、瀬高などと比べると耕地面積がそれほど広くないので、スーパーマーケットなどに並べられている、粒揃いのきれいな野菜を栽培することは困難である。しかし、健康によくて味のある野菜は、粒揃いでなくともいいのであり、虫が食っていた方が安全の証になる。消費者も野菜の安全性についてかなり敏感になっており、種々の情報も流布しているので、このようなことを了解している人も増えている。今後の農業は、まずは農薬を減らして、農薬は必要最小限から始めればいいのではないだろうか。それから、野菜の付加価値を高めるために、徐々に有機栽培に移行できるようにしていけばいいだろう。このように、新鮮な朝採り野菜が食べられることが、地産地消の強みになる。

このようなやり方で、もともと農業をやっていた大牟田近郊の田園を広げていく。並行して、大牟田の町場にも空き地などが増えているので、この空き地に畑や花壇を作っていけばいいだろう。これも、上内などで畑をやっている町場の人々が引き受ける。実は、これはアメリカで斜陽産業になった自動車工業が衰退した後のデトロイトで実践されたやり方である。デトロイトでは都市部に畑をつくり、そこでの栽培が成功している。大牟田も炭鉱がなくなり、町場が廃れており、同様な事情がある。ここに畑を作り、田園都市を実現するのである。花は出荷が難しいかもしれないが、野菜は出荷可能なはずだ。最初は小遣い銭稼ぎ程度だろうが、利益はある程度望むことができるだろう。実際に利益があるのだから、やる人は出て来るに違いない。

ここまでで、大まかではあるが、今後の活動の方針が理解できたであろう。さらに具体的なこととして、イノシシ対策が挙げられる。上内においてイノシシ被害は相当に深刻になっている。現在、夜は外に出歩けないとまで言われているほどだ。柵が作られてはいるが、一部であるため、このままだと家庭菜園で栽培した植物がイノシシによって食べられてしまう。この対策を、町場の人々が共同で行わなければならない。一番分かりやすい対策は、1メートル以上ある柵の設置である。この他にも、人間の毛髪を要所要所の小屋において、その匂いでイノシシを撃退するやり方もあるし、音波によって駆逐する方策もある。これらを複合的に使うことで、イノシシ被害をなくすようにしなければならない。

上内は江戸時代、柳川藩の穀倉地帯であり、内膳家の知行地であった。よって、前述のように伝統文化が今でも残っており、この学習の意義も前述したとおりである。恐らく、伝統文化についての理解を深めることで、上内の文化の価値が共有されることになるだろう。それとともに、これまであまり重要だと思われなかった、例えば地元で長年培われている地元ならではの果物栽培の方法などについても明らかになり、それを応用した農業も実践可能になるであろう。この観点からいえば、立花氏が代表を務めている橘香園は、日本におけるワセミカンの原産地でもあり、ミカンのみならず、この広大な園における花もかなり価値があると考えられる。単に観光資源としてだけではなく、果樹、花の生産等も今後可能になるだろう。この園を利用した新たな栽培も可能であり、今後の有効活用が望まれるだろう。

観光資源としては、野外コンサートも可能である。環境条件としてはこれだけ広い橘香園の庭は希少価値があり、個々の人々が集いながら、キャンプもできるようになっていて、利用価値が高いといえる。ここでは、自然との一体感なども味わうことができるので、大牟田の人々のみならず近隣の人々の憩いの場になっている。大牟田市内の町場にはない、自然との対話の場になっているので、環境条件はこのままにして、さらなる発展を望むべきだろう。

これ以外にも、新幹線の工事によって、大量の水が出る場所があらわれている。歴史的にいえば、神戸で新幹線工事中に見つかった水は、後に「六甲のおいしい水」として売り出された。上内の場合は、出て来る水の水質検査などはされていないようなので、飲める水かどうかはまだ分かっていない。しかしながら、新鮮な水であることは間違いなく、これを使ったわさび栽培などが可能だと考えられる。この水の使い道は他にもあるだろうが、これも地元の資源として有効活用が可能である。ここまでが上内で家庭菜園をやる上での必要な考え方その他である。

浄水場ではなくならない家庭排水

農業に加えておかねばならないことがある。それは、食糧危機になれば、食べられるものは何でも食べられるようにしておかなければならないということである。草も昆虫も食べられるようにしておかなければならない。そのためには、環境汚染をなくさなければならない。ここまでお読みの方ならば既にお分かりだろうが、我々の生活排水は、事実上、浄水場にいってもろ過などされておらず、毒性は農薬と同様にそのままである。生活排水は、最終的には海に流れるので、生態系にかなりの影響を与えることが予測できる。

我が家では、洗濯にも合成洗剤は使っていない。使うならば、すべて石鹸である。洗濯自体は何も使わずに、単に洗濯に必要な機械だけで行っているが、かなりきれいに洗濯できる。合成洗剤、中性洗剤には毒性があり安価であるが、人間にとっても生物一般にとっても有害である。もちろん、合成洗剤は特売などで安売りされており、石鹸を使うとなると、ある程度のお金が必要になるが、それでも、1か月の違いは500円にもならないだろう。石鹸製品は「シャボン玉石鹸」もあるし、また地元企業では「まるは油脂化学工業」などもあり、インターネットで調べればもっと出てくる。簡単に入手できて、環境にやさしい、誰にでもできる環境保護である。

こういった動きが市民一般に広がれば、まさに大牟田は田園都市になり、環境整備もぴか一になるに違いない。大牟田を良くするも、悪くするも我々市民である。これから、環境整備も含めて、どんどん、大牟田を良くしていきましょう。

【第五章】

フランスの少子化対策

フランスは、以下に見るように、少子化対策に成功している国である。日本でも一応フランスのやり方を参考にはしているが、あまり上手く取り入れられていないので、まずは違いについて分かったうえで、その応用を考えなければならないだろう。この章では、フランスのやり方、方法を学ぶことに主眼を置き、日本にどのように応用可能かを考えることにする。

フランスから学ぶ日本官僚

まずは、官僚サイドが書いている論文を参照する。歴史的に少子化対策がどのようにされてきたかは、以下を読めば大体わかる。しかしながら、この政策がフランス社会にどのように対応しているかについてはなかなか分からない。これによると、「家族手当」というシステムが少子化防止に役に立っているように見られる。まず、家族手当が何であるのか、次にそれがどのように社会的に機能しているのかを考えなければならないだろう。

図表６　戦後のフランスの家族政策の推移
（縄田康光「少子化を克服したフランス～フランスの人口動態と家族政策～」『立法と調査』2009.10 No.297 p.75）

年	出来事
1945	社会保障制度の組織化に関する1945年10月4日オルドナンス。所得税にN分N乗方式を導入（適用は1946年から）。
1945～1946	企業単位の家族手当補償金庫が廃止され各県に家族手当金庫（CAF）が設立される。
1946	1946年８月22日法。戦後の家族給付の大枠が定まる。
1948	家族給付に住宅手当が導入される。
1949	1949年2月21日法により家族手当金庫の社会保障金庫からの独立が保障される。
1967	67－706オルドナンスで全国家族手当金庫（CNAF）が設置される。
1974	新学期手当の導入 。
1976	ひとり親手当（API）の導入。
1977	認定保育ママ制度の導入 。
1978	国籍を問わず居住要件のみで家族手当が支給されるようになる。単一賃金手当等を家族補足手当（CF）に統合 。
1981	N分N乗方式の拡充（第3子以降の家族係数を0.5から1に引上げ）。
1982～	家族問題全国会議の開催（1994 年から定期開催を義務づけ）。
1983～	家族給付全国金庫による保育施設拡大の促進（家族手当金庫と各自治体との間での「保育所契約」「子ども契約」締結と費用補助）。
1985	育児親手当（APE）、乳幼児手当（APJE）の導入。
1990	一般社会拠出金（CSG）の導入。認定保育ママ雇用に対する援助の創設。
2003	乳幼児養育給付（PAJE）の導入。

（出典）加藤智章『医療保険と年金保険 フランス社会保障制度における自立と平等』、柳沢房子「フランスにおける少子化と政策対応」、神尾真知子「フランスの企業と『少子化対策』」（『日本労働研究雑誌』No.553 2006）、内閣府ＨＰより作成

また、同論文p.76には（以後文中引用ページ等省略）、「フランスの家族政策の大きな特徴の一つが、所得税におけるN分N乗方式である。これは、家族を課税の単位とみなし、家族の所得の合計額を『家族係数』（大人は1、子どもは2人目までは0.5、3人目以降は1）で除し、係数1当たりの課税額を決め（N分）、さらに家族係数を乗じて家族全体の税額を決める(N乗)方式であり、子ども数が多いほど所得税の負担が軽くなるメリットがある。N分N乗方式は1946年から導入され、以後フランス家族政策の柱の一つとなっている。他の先進国が子育て費用に関し、税額控除方式を採用し、課税単位を個人としたのに対し、フランスの場合、家族を課税単位とする方法を選んだという点が注目される。」とある。

課税を個人ではなく家族にして、家族への手当を増やしている。現代フランスの子育て対策は、このように収入の多さ・少なさに拘わらず、誰でも受益できるという普遍性がその前提である。これに加えて、家庭と仕事の両立ができるように、多様な保育手段を設置している。家族計画についても産むか産まないかに拘わらず相談を受けており、積極的な子育て支援を行っている。このようなカウンセリング・システムは、有効性の高いやり方だと考えられ、パリには24の家族計画センターが設置されている。フランスにおいては、このように社会全体で子どもを支えることになっており、子どもをもつ家族が不利益にならないようにしているといえる。

フランスの社会背景：男女平等は当たり前

フランスの少子化に関連する2冊の本をここでは参照する。まず、髙崎順子『フランスはどう少子化を克服したか』である。ここに書かれてあることは、フランスにおいては内閣の人事は男女比を1対1にしなければならず、男女平等が法律も含めて徹底化されており、また子育てについても公的支援が当たり前になっていることである。この本の「はじめに」では、フランスでは小学校に入る前に3歳から「保育学校」に入学することが書かれている。この保育園は日本のように子守が目的ではなく、子どもは生徒として取り扱われる。教育を受けるのも権利であり、その権利の一環として保育学校がある。

現在のフランスでは、もとからある国家理念、「自由、平等、博愛」が強調されており、これに基づくと、男女は当然平等でなければならない。フランスは、国策の一環として男女平等を法律にいたるまで徹底化している。よって、子育てについては男女が等分の義務を負うのであり、女性だけに子育て義務があるのではない。

オランド大統領は、女性の自由、平等、尊厳は、普遍的なレベルの大義だと述べ、その実現はフランス共和国の国家たる偉大な大義だと発言している（髙崎順子　p.48）。フランスでは、単に少子化のための政策を実施しているのではないことが、これで分かるであろう。フランスでは閣僚の男女比も1：1になっており、日本では考えられない男女平等が徹底化されている。また、「女男平等のための高等審議会」も結成され、ありとあらゆる分野での男女平等がチェックされている。育児休暇については、男女ともに申請すれば3年可能であるが、ひとりの場合、2年に限定されている。

日本でも育児・介護休業法がありその適用を受けられることになっているが、日本では企業がこの法律に違反したとしても、何ら罰則がない。フランスでもし違反すれば、法律で処罰される。

次章で検討するように、日本では結婚する際に、子育てに男性が参加するかどうかが重要視されている側面がある。もし、参加したくないと男性が言った場合、破談になるケースがあることから、結婚しても子どもを作らないケースもあると考えられる。

3歳からの教育が当たり前のフランス

次に、出産についてである。フランスでは、無痛分娩が普及しており、大半が無痛分娩での出産になっている。これによって、事実上出産率が上がっている。日本では、陣痛あっての出産という社会通念があり、陣痛というとんでもない痛みがあることが、子どもとの精神的な絆に繋がるなどと思われている。

日本では無痛分娩はほとんど広がっていない。これをやれる麻酔医が足らないことが一因であるため、ほとんどの出産者は、無痛分娩というやり方があることさえ知らないだろう。フランスは無痛分娩についても、女性の出産時の苦痛をやわらげ、女性の負担を減らすことを政策の一環にしている。これも、男女平等の理念と結びついている。実際、出産となればものすごい痛みがあるということはほとんどの女性が知っており、その痛みのなか、なかには命を失う女性までいることもよく知られている。それほどの痛みがあるなら、出産したくないと思ってもおかしくはないだろう。出産時の負担を軽減することは、フランスでは国家の責任の一つになっている。この点も、日本とは大違いである。

フランスと日本の違いは単に、子育てを男女が平等にやっている、無痛分娩が普通になっていること以外にもある。例えば、保育学校入学前の保育園についてもそうである。簡単に言うと、フランスでは保育園に子どもを預ける際に、保護者が何かすることはない。また、保育料は国家レベルで決まっている低料金なので、お金がかかって困るというような事態にもならない。日本では、保護者は保育園に子どもを預けるだけで、かなりのエネルギーを使わなければならない。フランスとは大違いである。

フランスの問題としては、保育園の数が限定されており、保育園に子どもを入れるためにはそれなりの「保育園活動」をしないと入るのが難しいという面がある。もし、保育園に入れなければ、母親アシスタントを頼むことになる。女性の自宅で何人かの子どもを預かるのがこの仕組みである。もちろん、これにも公的な助成があるので、高額にはならない。補助金、特別控除などがあるので、結果として実際に出さなければならない金額は、保育園で1万円弱で、母親アシスタントが2、3万円となる。これらは、少子化抑止剤として相当なインパクトがあり、少子化対策として強く働いていると考えられる。更に、上記のような子育て支援には企業も積極的に関わっている。

日本においては、保育園で働く保育士の待遇自体が改善されていないので、まずはここから着手しなければならないだろう。保育士も幼稚園の先生もいずれも教育者であって、単なる子守をしているのではないが、一般の人は単なる子守といった見方をしているのではないだろうか。実は、幼児期の教育はその後の子どもの発達に相当な影響力があり、この時期に適切な教育を受けなければ、その後の発達が阻害される可能性さえある。それだけ大事な時期の子どもの教育をしているのだから、それなりの報酬を保証しなければならないだろう。

フランスでは3歳になると保育学校に通うことになる。一応、小学校前の入学になるが、実際上はこの時期に国家が認めた正規の教育を受けられる。この学校はすべて無償であり、教科書その他もすべて無償になっている。この学校に入学するための条件は、1．おむつがとれていること、2．在住の市町村に入学希望を出すこと、この二つだけである。さらに、「違って当たり前」の多文化教育になっており、親がフランス語をできない子どももいる。それでも学校はこのような子どもを受け入れている。子ども達は国籍に関係なく、フランスの教育を受ける権利があるからである。日本の学校でここまで徹底化している学校はどれくらいあるだろうか。

保育学校の基本方針は以下のとおりである（髙崎順子　p.173）。「保育学校は特殊な教育課程であり、その特性は、以下の3点に定義される。1．保育学校は子どもに合わせる学校である。2．保育学校は、固有の学習方式によって運営される。3．保育学校は、子どもが他者と共に生きることを学ぶ場所である」。3歳児から5歳児までの幼年期であるので、学校の方針だけで教育内容は決められず、国家による方針に基づいて、臨機応変な対応が求められる。その中で、中心にある考え方がこれらになっている。最後の、他者と共に生きることを学ぶという考え方は多文化主義でもあり、また本書で取り上げている、今後の日本における教育のあり方にも関わる、「それぞれが違う個人がお互いに理解し合うための教育」になると考えられる。さらに、次の五つがこの教育の目的になっている（高崎順子　p.175）。「1．あらゆる場面での言葉を使わせる。2．体を動かして意思を表現し、理解する。3．芸術を通して意思を表現し、理解する。4．自分でものを考えるための基本技術を身につける。5．世界を知る」。これによって、小学校入学時前に達成させる目的が明確にされていると考えられる。つまり、教育の章でも論じているように、ここでは一貫教育が目指されており、先々の見通しに基づいて保育教育を実践しているといえる。保育学校の子どもは幼児なので、遊びながら学ぶという形態で教育が行われる。日本では、小さい子どもの遊びと言えば、インターネット上のゲームがいまや一般的であり、昔の子どものように友達と一緒に遊んだりしなくなっている。これに対して、フランスでは昔からの遊びを通して子どもは他の子どもと関わっており、遊びを通して教育がなされている。これは日本にはない、ある意味「うらやましい」教育実践だと考えられる。日本もこれを参考にして、もともとあった遊びを教育場面で復活して、遊びながら学ぶやり方を開発する必要があるのではないだろうか。

フランス人女性は身体をコントロールする権利をもっている

ここまでが、フランスの教育についての状況と国策についての関係である。次は、子育ての重要な担い手であり、出産をする女性がどのようなライフスタイルをもっているかについて考える。これは、中島さおり『なぜフランスでは子どもが増えるのか：フランス女性のライフスタイル』という本に基づいて考える。

まず、フランスの女性はセックスアピールをするのが日常になっている。こうだからと言って、昔々からフランスでこのようなセックスアピールが一般的であったのではなく、60年代の五月革命を経て、70年代になり妊娠中絶が合法化された後、性規範が緩くなり、全ての女性ではないにしても、性に関して自由度が増していった。この背景には、１９６７年のピル解禁がある。日本では避妊薬ピルが発がん性があるなどといって一般化していないが、フランスにおいては現在ピルには発がん性などほとんど問題がないと考えられており、フランス人女性の大半はピルを常用している。ピルの常用と妊娠中絶の合法化は、女性が性的行動を自分の意思ででき、自分で選択できるということを意味する。これによって、女性のセックスアピールも自由になっていったと考えられる。フランス人女性は自分の身体は自分でコントロールしていると考えている。避妊具であるコンドームならば、男性に使用を頼まなければならないが、ピルはそのような手続きは必要ない。女性自らが服用すれば、避妊可能になる。避妊と中絶の権利をフランス人女性は獲得したということである。これと関連して、フランスでは騎士道の時代からの伝統である恋愛が重視されているため、現代でも恋愛があって当たり前であり、男女間の恋愛の関係性なしでは社会が成立しないほど、恋愛が発展している。

日本においてもこのあたりのことはいろいろと議論になっていることであるが、一応以上のような理由で、フランス人女性の権利として、セックスアピールもピルも妊娠中絶も考えられているという事実確認ができただろう。

当然ながら、これだけ男と女の関係重視の国で、なぜ子どもが増えているのかという疑問が湧くだろう。１９６８年、フランスでは有名なフランソワーズ・ドルトという小児精神分析医が、「子どもは一個の人格である」という有名なセリフを吐いた（中島さおりp.67）。日本の伝統文化だと、子どもを甘やかすような、子ども中心的対応が今でもみられるが、フランスにおいてはこのような積極的な見方はそれまでほとんどなかった。生まれたばかりの子どもをベビーシッターに預け、ある程度の年齢になると学生アルバイトに任せるような、夫婦中心の生活がフランスでは今でも普通である。とても子どもを中心に考えているようには見えない。フランスでは、産まれた子どもを人に預けることが、ブルジョアのみならず一般人でも普通であり、とても親子の関係が親密であるなどとは思えなかった。日本と比べると驚くべきであるが、フランスが子どもと今のような関係になったのは、なんと20世紀に入り第一次世界大戦が終わってからである。これには、子どもを母乳でなく人工乳で育てられるようになったことも、原因の一つであると考えられる。

第一次世界大戦後はフランスでも核家族化が進行して、限られた数の子どもを大切にするように変化していった。また、戦地に行った男性に代わって、働き始めた女性たちの社会進出も一般的になっていた。70年代でこれが定着し、社会的な地位の獲得も普通になり、80年代になると、子どもを産んでも外で働くことが当たり前になっていった。こうなると、昔日の乳母が復活し、働いている女性の代わりに乳母代わりの女性が子どもの面倒を見ることになる。フランスの場合、前近代からの伝統である社交が女性の重要な仕事であり、現代ではその社交が女性の仕事に広がっているという見方も可能になっている。その社交の役割があるので、子どもと母親よりも、夫と妻の関係が社会的には重要になる。

フランスから学べることは何か

この著作では、最終章が日本への提言になっている。簡単に言うと、この筆者は日本とフランスとの文化の違いよりも、発展段階の違いに関心があり、日本はフランスに遅れているので、改革をすれば少子化を止めることができるのではないかと考えている。しかしながら、文化的前提も国家政策も異なっているので、単純に発展段階の違いという見方で改善をはかることは困難だと考えられる。では、母性の強調をせずに、男女平等の考え方で女性の就労を支援して、子どもをつくった夫婦への支援をできるようにすればいいのではないか、ということになるだろう。しかし、今の日本は単に男女の機会均等になっていないだけでなく、非正規雇用が増え、実質的な搾取による人々の生活がひっ迫しているという状況である。これに男女差別が関わっているので、簡単な男女の機会均等だけでは、問題解決にはならないと考えられる。この本の筆者は、日本の女性は70年代になっても、専業主婦になろうと思っていたのではないかと考えている。実際は、専業主婦になろうとなるまいと、次に訪れて来た非正規雇用の大波で、2000万人以上の人々が経済的に困窮することになっているため、これについての解決がない限り、結婚できる人々の人口は増えないだろうと考えられる。

これを大牟田の場合に当てはめて考えてみよう。まず、市民税などの税金負担を、子どもをもっている人の優遇措置にできるのかといえば、財政的に厳しい状況であり、地方自治体がやるには相当無理があるだろう。大牟田で可能な方策は、フランスの事例を見る限り、まずは男女平等の処遇をさまざまな行政の対応で実現することだ。これによって、女性が権利を獲得し、自分たちの人生は自分たちで選択できるという自信を女性に与えることができる。女性が大牟田は男女平等だから住みやすいと思えば、その女性によって男性も移り住むことになる。実際、東京等の都市部に移る女性の中には、東京に行かないと男女差別で不利になると思ってそうする例もある。少子高齢化対策のためには男女平等の実現が重要視されるべきだろう。

さらに、次章で検討する結婚適齢期の人々に対するカウンセリングである。通常、これらの人々へのカウンセリングというと、結婚相手相談についてであるが、それよりも重要なのは、なぜ自分が結婚できなくなっているのか、その自意識形成の分析である。これによって、解決のために何をしたらいいかが考えられるようになるだろう。このようなカウンセリング等は、行政でも民間でも可能になっている。

この本では、食糧危機対策での農業振興などで、結婚適齢者が積極的に参加して、副業として農業を営むことが可能になり、それが生活の一助にもなることがあげられている。

しかも、都市生活者ならば月に15万円では生活はできないが、大牟田ではそれが可能であり、本業を非正規雇用でやっていても副業の農業の収入があり、それなりの生活設計が可能にもなるだろう。おまけに、上内の人々との関わりも作られるので、これによる援助も期待できる。

【第六章】

少子化対策の失敗と今後の対応方法

日本においては、食糧危機対策も、農林水産省の部局で何かやられているらしい、というレベルの対策が取られているが、一般の人々はそんな対策が取られていることも知らないだろうし、事実上ほとんどなんの成果もあがっていない。

だからと言って、食糧危機がなくなるのかと言えばなくなるはずはなく、その危機はほぼ間違いなく到来するだろう。これについては、既に書いているように種子法廃止に対して各自治体が条例を制定することで、種について農業・農民を守る動きをしており、これは地方自治体から国に対して注文をつけている。これには、地方自治体の危機意識が強く働いていると言える。

これと同じように、少子化対策も何か対策をしているように見えて、実際は実効性のある対策が取られているわけではない。こういった事情なので、世界中の国々は日本が少子化対策をしていないことに注目しており、中国、韓国などは、日本のようにならないように対策を取ろうとしている。

未婚者の増加をどうするか

そこでまず分かりやすい話として、少子化について必要だと考えられるのは、未婚者の増加を食い止めることである。それを当事者である結婚適齢期の人々に対して、提案ということで検討することにする。

結婚の適齢期を過ぎても結婚しない人々が増えている。この背景については、山田昌弘『日本の少子化対策はなぜ失敗したのか：結婚・出産が回避される本当の原因』（光文社新書）に詳しく分析されている。この本を参考にして、話を展開したい。まず、このような対象の人々は、その4分の1が大卒であるが、その他は大卒ではない。皆が皆、高学歴ではないので、職業選択の幅がそれほどではない。これを確認する必要がある。よく聞くのは、大学を卒業してからフリーターなどになっている人の話だろう。しかし、大卒は比較的恵まれている方の人々であり、割合としてはそうではない人の方が多いのである。

次に雇用であるが、いまや非正規雇用が2000万人の時代になっている。非正規雇用の人々は正規雇用と比べて給料が低く、いつクビになるか分からない。コロナ禍の中で、こういった人々が激増している。さらに、これらの人々は自立した生活をするのが難しく、未婚なので親といっしょに生活している。独立している人はまだ経済的にマシな方であり、親と同居の人々の方が数が多い。

こういった条件で考えた場合、まず親と同居している人々はそれなりの暮らしを送っており、生活は一応安定している。これらの人々は、今の生活よりも下の生活にはなりたくないし、実際そのような生活をしたこともない。自立した生活をすることには相当なリスクがあり、それを回避しているのである。給料は事実上の小遣い銭であり、生活は親から面倒を見てもらっている、いわゆるパラサイト・シングルである。このような環境条件の人々がわざわざ危険を冒してまで、結婚をするだろうか、ということである。

ここまで書けば、非正規雇用をやめればいい、と大半の人々は思うだろう。ところが、政府が非正規雇用を増やした背景には、産業界が安い労働者を求めているということがあり、それ故に、これが変更される可能性はまずないと見なければならない。一度特定の方向に向けられた政策は、そう簡単には変更されることはない。となると、これは実現できないので、別の方策を考えなければならない。男女は関係なく、まず当事者レベルで重要なのが、独立心だろう。数十年経てば、親も経済力がなくなり、それから死んでいなくなる。いつまで親の世話になるのかを考えれば、いつかは経済的に自立しないといけないことがわかる。しかしながら、日常的なレベルでそれを実感することはないだろうし、親も子どもの面倒を見ることを、親の義務だと思っているだろう。大半の人々はこのような袋小路にはまってしまっているに違いない。

これを打開するためには、これらの人々自身が自分を客観視できるようになる以外方法はない。そのためには、「職業人セミナー」「若者のための人生設計セミナー」などの企画を、民間および行政レベルでやるべきだろう。このままいったら自分はダメになってしまう、という自覚が必要になる。その自覚をまず形成しなければならない。

そういった現状理解がある程度達成できたとして、次に来るのが、自分の現状をどのように改善したらいいのかになる。このまま非正規雇用を継続しても、何ら将来性はないので、非正規雇用から抜け出さなければならない。こういった人々にとって、これは大変なことになる。これまで何ら考えてこなかったことを考えなければならないからだ。まず、東京のような大都市圏にいる場合は、本人が何かを達成しない限り、非正規雇用から抜け出すことは困難である。この状況から抜け出すためには、何らかの資格を獲得することが必要になるだろう。その資格があれば、それなりの就職口があり、それによってより良い職を得ることができる。さらに、こういったことを達成するためには、日常的なレベルでの生活改善が必要になる。まず、自分たちがどんな楽しみで生きているのかを考えなければならない。大半の若者は、ゲームなどが趣味であろう。

こういったことが分かれば、自分が搾取されないような工夫をするようになるだろう。ムダ金は一切使わず、趣味は金のかからないものにして、しかも、能力を身に付けることにつながることをやる。つまり一種のお稽古事になるが、それならば、そこでの人間関係も自分の財産になるので、いろいろと可能性が開けることになる。これは自分だけで何かをするのではなく、他の人々とのコミュニケーションをとることにつながる。

大都市圏ではなく、いわゆる地方になると、様々な機会があることが分かる。まず、本書で書いているように、第一次産業の農業、漁業は人手不足である。しかも、農業の場合、休耕地がどんどん広がっており、このままいくと農業自体が死滅する可能性さえある。別段やったことがなくてもいいので、自分の仕事をしながら、土日だけでも農業を地元のお年寄りから習ってみることである。身体を動かすので体調も良くなり、だんだん面白さが分かってくるだろう。土日限定とはいえ、ある一定レベルになれば農業ができるようになる。栽培したものを自分で食べることもできるし、生産されたものはお金にもなるので、それが小遣い銭にもなるだろう。漁業は、一種命がけの仕事になるので多少大変だろうが、農業の場合そのような危険性はないので、楽しく学ぶことができる。このような形で、兼業農家になることも可能になる。

地方においては、第一次産業だけでなく、現地に古くから伝わる工芸などもあり、後継者不足で困っている人もいる。そのような場所で土日工芸を始めることも可能であり、ある一定水準以上になれば、工芸の専門家となる道もある。

農業の学びと実践は、新たな人生を切り開くきっかけにもなるだろう。一応ここまでが、今後の方策、提案も含めたお話である。

日本における少子高齢化対策失敗の理由

次に、山田昌弘氏が言っている、日本における少子化対策の失敗の内実を考え、それから今後の対策について検討することにする。

一言で言ってしまえば、日本はこれまでまともな学術的調査などを行わず、行政マンの思い付き、思い込みで「対策」を取ってきたといえる。これは少子高齢化だけではなく、あらゆる分野でありふれたことであり、学問軽視のお国柄がここに見られる。山田前掲書に、「日本社会ではたとえ愛があっても、子どもが好きでも、経済的条件が整わなければ、結婚や出産に踏み切らない人が多数派なのだ」とある。

このことについて山田氏は、女性が結婚しようと思う男性は、経済力のある人であるため、低所得者はその対象にはならない、と表明した。するとこれに対して、「差別だからそんなことは言わないでくれ」という意見が出たという。山田氏が言っていることはある意味当たり前のことに過ぎないが、それをなぜ差別と受け取るのだろうか。それは、社会通念として、そして貧乏生活などほとんど経験していない中流以上の人にとっては、「愛があるから結婚する」「好きな人同士が結婚する」というような理想論が、一般的だと思われているからである。日本の高級官僚になっている人の属性が、そのまま少子化の対策にも出ているといえよう。もし、これを認めることになると、自分の体面が汚される、と彼らは考えるのである。この本には、欧米の価値観で婚姻について考えられているので、日本の現実とは異なる、と書かれてある。しかし実のところ、欧米の価値観というよりも、特殊日本的な体面などが関わっているために、それを表には出していない、という特徴が見られる。つまり、中流以上の人々でも、金がなければ結婚もできないと思っており、低所得者とは結婚などできないというのが本音なのである。

このような理由から、政府の宣伝文句には金銭に関わることが除かれており、きれいごとだけでキャンペーンを展開する傾向がある。政府キャンペーンでは、家庭と仕事の両立や夫の子育て支援が取り上げられ、夫婦がお金を持っていないということは省かれている。経済的な貧しさへの対策が必要なのであり、それは政府の政策としても重要な意味を持っているが、一番大事なことは表に出てこない。

日本では、団塊ジュニア世代が結婚、出産の年齢になった2005年までに、子どもの学費削減の政策が取られなかった。つまり、時期が遅れてしまったのである。２００９年になってから、高等学校の授業料無償化と子ども手当がやっと整備され、就学前教育費原則無償化にいたっては、２０１９年である。例えば、若い男性の場合、結婚して子どもを持ち、子育ても妻と一緒にやらなければならないとなると、仕事で相当な負担になるという意識が作られている。本人の意向とは別に、社会・行政から、子育て支援の強制をされているという気持ちになっている。こういった若い男性の心情も計算に入れないと、何人子どもをつくるかといった問題が、当事者間だけの争いになってしまう。

日本では、欧米社会を模範とし欧米社会に近づくことが、あらゆる政策の根底にあった。少子化についても同様のことが言える。一般的に社会は一直線に進化しているかのように思われている。そこではまず欧米が来て、次が日本の番だと思われている。

少子化に対する成功例は、スウェーデン、フランスとされており、ここを見習えば、少子化を止めることができると考えられた。山田前掲書、p.64には、欧米の人々のなかで共有されている価値観が書かれている。①子は成人したら親から独立して生活するという慣習（若者の親からの自立志向）、②仕事は女性の自己実現であるという意識（仕事＝自己実現意識）、③恋愛感情（ロマンティック・ラブ）を重視する意識（恋愛至上主義）、④子育ては成人したら完了という意識、これら四つである。いずれも日本とは異なっており、全く同じ政策をしてもうまくいくはずがない。しかも、欧米においては結婚と子育ては別になっているので、未婚で子どもを持つ親も多い。この場合、未婚で子どもを持っている人々への優遇措置を考えなければならないが、日本の場合、未婚で子育てのケースは限られており、そもそもの絶対数が少ない。これだけの違いがあることを分からないままマネをしているのであるから、問題になって当然であろう。

これについて、山田氏は前掲書、p.66で日本的特徴を三つ挙げている。①「リスク回避」傾向、②「世間体」重視、③子どもへの強い愛着（子どもにつらい思いをさせたくないという強い感情）、の三つである。恐らく、フランス人などにはこのような親の態度は理解されないだろう。しかし、韓国でもこれは一般的であり、東アジアにおいてもこのような親の態度の方が普通である。

「恋愛はコスパが低いよなあ」というのは、現代の若者がよく言っている言葉である。それなりの投資をして、恋人をゲットしようと思っていろいろやれば功を奏するかといえば、そうともいえない。これに、恋愛のリスクが加わる。大丈夫だと思って付き合いだした男性が、実は大した給料をもらっていないことが分かった。これでは、結婚どころの話ではない。かといって、それなりに付き合いは継続しており、すぐに、「サヨウナラ」という訳にもいかない。さあ、どうするか、ということになると、相当なリスクを抱えながら、交際をしていることになる。昔ならば、例えばお見合いで、双方の関係者が客観的に相手について調べ、お互いの生活環境、文化なども客観的に見たうえで、合っているかどうかの判断をしただろう。こうした過程を踏まえるので、それほど離婚もなかった。お互いに相手と合っている面があったからである。しかし現在の恋愛となると、相手について十分には分からず、基本的情報を持ち合わせていない場合があるだろう。

その結果、統計調査において「恋愛は面倒」という言葉が出てくることになる。誰かと関わること自体が面倒になっている。そのような考え方ならば、恋愛などしない方が楽であり、恋愛抜きの生活の方が普通になってくる。これを裏打ちするかのように、恋人がいない人に恋人がほしいかと尋ねたところ、ほしいと返答したのは60・8％であったという（山田前掲書　p.95）。ほぼ40％が恋人はいらないと返答している。

また、女性の場合は、成人して自立した生活をすることよりも、収入の安定した男性との結婚を優先している。これは日本が韓国同様男性中心社会である証明になっている。女性の場合、自立した生活は重視されておらず、就職しても結婚までの腰掛の人もいるので、生涯の仕事を見つけてそれなりの目標を持つ、という意識の人は少ない。これで、結婚の機会が見つからない割には高望みがあり、なかなか結婚できない女性が増える。ある年齢を過ぎれば、結婚自体を断念して、親との同居だけが目的になってしまうことになるだろう。

結婚は自分以外の人間との共同生活なので、経済的な基盤がないと成立しない。日本においては、欧米と比べると、この経済的基盤が重視されている。これと関係しているのが結婚後のセックスレスである。近年、性的交渉をしない夫婦が増えている。特に、若い夫婦の場合、これによって子どもをつくらないということになっている。

さらに、現代においては男女が知り合う機会が限定されており、職場で出会った人との結婚が減っている。もともとの志向として、相手の収入、相手のさまざまなバックグラウンドが恋愛でも結婚でも重視されているのであるから、これを満たしてくれる職場が男女の出会いの場としては都合がいいはずである。それなのに、職場でさえも出会いの場にはなっていないのである。

これらのことから分かるのは、結婚適齢者自身が積極的に相手を探しておらず、もし経済的条件その他が揃ったとしても、付き合って結婚までいくのに多くの障壁があるということだ。こういった事情があり、また親がすすめるので、結婚相談所に通う人々がいるのが現状である。これらの要望に応えるために結婚相談所はカウンセリングなどを始めているが、よほどのことをしない限り、結婚まで到達するのは大変である。

欧米と日本との比較では、子どもの位置づけや子どもの意味について大きな違いがあることが分かった。欧米では、子育てはそれを行う親が成長できる機会であり、それを通じて親自身も成長できると捉えられている。これは日本でも同様だろうが、日本ではそれよりも、成人してから後の生活保障を重視している。良い育て方をされた子どもが社会的に成功すれば、より良い人生が生きられると言われており、親はそのために子育てに熱心になる。いわば、成人してからの子どもの市場価値のために子育てをすることになる。このような対応は欧米では一般的に見られないことであり、このような市場価値よりも、親の楽しみ、親の成長のために子育てをするという価値観である。確かに日本においても子どもを育てることに意味・価値があるという見方もあるが、子育ては一種の投資である。しかも結果がはっきり分からない投資なので、それがはっきりするのは成人してからになる。

これだけの違いが欧米と日本にはあるので、欧米のやり方をそのまま日本に適用はできない。欧米では、成人した子どもは自立しなければならないので、ヨーロッパ諸国の大学の授業料は安くしてある。イギリス、アメリカでは子どもが借金をして、大学に行くのが普通である。子どもが社会的に成功するかしないかは子どもの人生であって、親がそれに関与することはないと考えられている。ここは日本とは大きく異なっており、日本では大学の学費を出すのは親であって、就職するまでは生活費もすべて親がもつのが普通になっている。しかも、先に見たように、どこかに就職した後も親に面倒を見てもらっているのが一般的である。日本においては、親がずっと子どもの面倒を見て、子どもに対する育児責任を問われる、という考え方になっている。

この章で取り上げたように、確かに税制上の優遇措置にも効果はあるだろう。しかし、前の章でフランスの成功例を見てきてわかるのは、フランスと日本では事情が異なるということだ。日本的事情について考えていなければ、本当に効果のある少子対策は取れない。

これまで論じてきたように、日本の場合、まず結婚適齢者の自意識、自覚が必要であり、個々人の個人的理由ではなく、社会的に結婚が難しくなっている現状理解が必要になる。そのためには、民間、行政どちらもカウンセリング・システムを構築しなければならないだろう。ここが出発点になる。

さらに、個々人の自意識、自覚の達成の後は、積極的に婚活ができるような環境条件が必要になり、これについては民間諸団体、行政などが、可能な限り結婚適齢者の出会いの機会、知り合う機会を創る必要があると考えられる。

本書で紹介している上内の農業活性化活動に、婚姻適齢期の方々を呼び込み、活動にも婚活を入れることが望ましいと考えられる。活動自体に出会いがあり、それを通じてより良きパートナーを見つけるきっかけになるだろう。今後必要とされるのは、婚活のみならず、人々のコミュニケーションを活発にする、我々民間の人々の活動である。これが、より良い大牟田づくりにもつながると考えられる。

ここにおいて必要なのは、テリトリー意識、縄張り意識ではなく、新たな出会いを待ち望み、互いに学べる人間関係づくりである。このような活動を通して人は変わっていき、その変化が当たり前になればなるほど、その活動は活発化し、次々に新たな出会いが生み出されるに違いない。

さらにこの活動は大牟田だけにとどまるのではなく、近接各地にも広がっていくだろう。それが、大蛇山ネットワークになる。大蛇山と言うと、一般的には大牟田のお祭りという位置づけだっただろうが、江戸時代には三池、渡瀬、江の浦、中島に大蛇山があり、また南関からは渡瀬にやってきた人もいた。それらの人々が大蛇山のお囃子をやっていた。これにちなみ、南関にも現在大蛇山があり、そこでは昔のままの渡瀬のお囃子になっている。事実、南関の一部は肥後藩ではなく、柳川藩領であった。

今後の地域のまちづくりは、近隣の自治体と共同でやり、相互の利益を出していくやり方にしなければならないだろう。大蛇山ネットワークによって、単なる祭りだけでなく、人的交流、農業相互支援など、様々な活動を我々はできる。江戸時代からの文化に感謝が必要だろう。

南関も荒尾も熊本県であるが、それはここでは関係ない。熊本県と福岡県の自治団体の相互交流になればいいだけである。我々にとっては、どこの県、どこの所属であるかはほとんど問題にならない。近場にいる他人が遠くの親戚よりも大切と言われるが、近くの人々とより良い関係を維持することが、我々の発展に結びつくだろう。

【第七章】今の日本の教育事情

このようなタイトルならば、学校の話から始めるのが常だろう。しかし、自分の子どもが小中高に通っている人は別にして、大半の人々は学校と言われてもよく事情が分からないと思う。かといって、自分が学校に通っていた頃はどうだったのかを問われても、大半の人々はもう覚えていないだろう。

自分がどういう教育を受けたか考えてみよう

こういった事情があるだろうから、私の学習体験を書くことで、自分たちが学校で何をどう学んだかについて考えるきっかけを、まず提供することにする。私は学者になったので、大学・大学院を経て現在まで、ずっと英語が重要なコミュニケーション・ツールであった。そして今も英語を学び続けているので、英語については十分に語ることができる。この点を一つのフォーカスにしたい。

私の場合、学校では勉強はそこそこにして、毎日友だちと遊ぶのが中心だった。毎日、毎日遊びで走り回っていた。やはり、小学校のときは好きな本を読むのと遊びが一番面白かった。今の子どもはこのような遊びをしなくなっており、一人でゲームをするのが一般的なので、これでは基本的な運動能力が身につかないだろう。そして、これは運動能力だけの問題ではなく、後述するように、知的な発達にも深い影響を与えるだろう。

実際、小学校のときに何を勉強したのかはほとんど覚えていないが、何をして遊んだかはちゃんと覚えている。子どものために、まずは遊びができる環境条件を作ることが、教育者の役割だと考えられる。学校では勉強そのものよりも、これが重要だろう。遊びを通して、子どもはいろんなことを学ぶことができる。

読者の方々も、このように書くと小学校のときの記憶がよみがえってくるだろう。年齢にもよるだろうが、大半の人々は遊びの記憶が中心になるはずだ。これが実質的に重要な学びであり、教育になっているからだ。ここまでをまとめると、好きな本を読んで基本的教養を伸ばしていくことと、みんなと遊んでコミュニケーション力をつけ、遊びながら学ぶことが重要だとわかる。

中学校になると、英語の科目が始まるという変化があっただけでなく、私にとっては相当にショッキングなことがあった。それは、不知火小学校の出身者が皆、東京弁を使っていたことである。延命中は、不知火、笹林、上官と、三つの小学校出身者が集まっており、私は中学校に上がって初めて、不知火小学校の出身者は東京弁を使っていることを知ったのだった。私の祖父は東京電力に勤務しており、父親は親戚のところにいたので、麹町小学校の出身だった。つまり祖父、父親は普通に東京弁を話していたので、私個人にとっては東京弁で話すこと自体は別段問題なかったが、日常的会話を東京弁だけでする、ということにはかなり違和感があった。なぜこうなっているのかと言えば、不知火小学校校区には、正山町、浄真町があり、そこは三井の上役が住んでいるところだったからである。この住人はもともと東京の人間であって、子どもにも東京弁を習得させようと考えていたのだ。もちろん、三井の上役以外の父母もいただろうが、やはりこの種の人々が大きな流れを作っており、不知火小学校ではこれらの人々が実質的に主役になっていたと考えられる。

中学生になったら、現実の社会のあり方がそのまま中学校に反映していたので、いろんなことを学んだ。私の校区の上官小学校校区には貧困家庭が広がっており、これが職業と言えるかどうかは別として、失業対策事務所に多数の人が出入りしていた。いわゆる「失対さん」と言われる生活保護家庭が50％以上だった。不知火小学校とはあまりにも大きな違いであり、中学校でも上官といえば、ほとんど相手にされることはなかったように記憶している。笹林小学校校区は大牟田の商店街が含まれており、商業をやっている人が父母に多かった。このような事情があり、成績優秀者は不知火と笹林がその中心になっていた。

三井の上役と商人の子どもというわけである。

このような事情ではあったが、成績優秀者に上官出身がまったくいなかったわけではなく、それなりの成績をおさめている者もいた。とはいえ、やはり親が貧困家庭だと成績が良くなる可能性は低く、私も含めて上官である程度の成績の者たちは、貧困家庭にいなかった者たちであった。まさに親の収入で学歴が決まるという現場に私はいたのであり、日本社会の現実を毎日のように経験していた。

中学校内部での貧困格差という現実に加えて、三井城下町の大牟田であったので、公害を日常的に経験できた。大体、貧困家庭の多いところに公害は起こっており、正山町、浄真町などは公害と無縁であった。不知火小学校の児童は延命公園を遊び場にしていたが、隣の上官はそんな環境などなく、グラウンドなどの空き地ぐらいしか遊び場がなかった。自然との対話も経験できる不知火小学校と、工場のばい煙が降るグラウンドしかない上官小学校という違いであった。このような環境条件下にいたので、私はずっと公害について考えていた。どうしたらこの公害をなくせるのか。このまま続くと、人類は公害によって滅ぼされてしまうのではないかと考えていた。小学校の時は、大牟田川は悪水川と呼ばれ、しかも工場からの排水に火がついて、川が燃えたことさえあった。これだけ自然を汚染したら、世も終わりだと私は思っていた。社会についての見方、貧困の問題と公害についてのは、その後も私にとって重要な気づきの一つになっていった。

英語の学び方

さて、ここまできてやっと本論になる。中学校で英語の学習が始まり、英語の勉強をすることになった。しかしながら、私の父方は皆理系であり、母方も女性を除けば皆理系であったので、英語を学ぼうという動機づけが何もなかった。実際、父方、母方どちらにも、英語のうまい人間など一人もいなかった。後述するように、よくよく考えれば本格的に独学で英語の学習を始めたのは高校2年生になってからであり、中学校3年と高校1年間の頃は、英語の勉強をまともにはしていなかった。

中学校のときに、さすがに英語ができなければ高校も大学も合格できないと思い、塾に通った。そこでの学習は教科書の予習、復習であり、教科書に書いてあることを覚えるための学習であった。このようなやり方は今でも一般的なのだろうが、英語という言語を学ぶためにはあまり発展性がない。今では小学校レベルから英語を学ぶようになっているが、果たしてちゃんと教えることのできる教師がいるのだろうか。これについては、英語の専門家はほとんどすべて、英語はもっとあとからでもよく、先にちゃんと日本語を学ぶべきだ、と言っている。特定の外国語ができるためにはしっかりした母国語力が必要であり、それがないと外国語は学べないからである。母国語以上の能力は、外国語では発揮不可能である。

　では、英語を学ぶ条件とは何かといえば、学びはじめに英語がどのような言語であるかを理解することである。日本語と英語がどこがどのように違うかを分かり、英語を学ぶには何が必要なのかを知ることがこれになる。恐らく、大半の人はこんな教育を受けていないだろう。日本の社会人の大半は、仕事においても、生活においても英語は必要とされておらず、英語は受験勉強のためにあるだけになっている。どの程度の受験なのかで英語の学習内容は異なっており、進学校でなければ、英語力は重視されていない。つまり、高卒レベルの人は英語を学べるような環境にはいない、ということである。さらに、進学校の場合は受験でいい成績をとれることが英語学習の目的になっており、本当に英語で話し、聞き、読み、書く、という実力は重要視されていない。

　このような事情があるので、私は日本の学校ではちゃんとした英語教育がされていない、と感じる。まず、英語という言語がどのような特徴があるかについて知らねばならない。ドイツ語、フランス語は書いてある通りに発音（もちろん、日本語のローマ字の読み方ではなく、ドイツ語、フランス語の読み方であるが）すれば、すべて通じることになっているが、英語はそうはなっていない。英語の場合は、単語各々の読み方があり、その読み方を知らないと話が通じなくなっている。英語は外国人でも気軽に学べるという面があり、多少は発音通りでなくともある程度通じるという利点もあるが、ちゃんとした発音を身に付けたければ、一応ルール化されている英語の発音方法とその他の方法を学ばなければならない。英語は、文字だけ学んだのでは発音ができないのである。さらに、発音にも慣用表現というのがあるので、慣用表現も学ばなければならない。

また、英語はヨーロッパ言語のなかではかなり特別の特徴がある。それは語順に意味があるということである。同じ特徴は、英語とは全く関係がない言語であるが、中国語にもある。中国語も語順によって意味を作っている。

中学生のときに、英語の五文型を習うが、この重要性を分かっている人がどれくらいいるだろうか。簡単に言うと、英語の文章はこの五つ以外ないのであり、この文型を知らない限り、英語では話もできないし、書くこともできない。最初に、この五文型を暗記しておかなければならない。

具体的には、日本語の「私は学校に行きます」は、英語ではSVの文型であり、I go to school. となる。これは日本語と同じ語順なので、難しくないだろう。次の「私は日本人です」は、SVCであり、I am Japaneseとなる。日本語では「です」がbe動詞のように感じられるかもしれないがそうではなく、be動詞の意味は何かが存在するという意味であり、意味的には日本人として存在している、ということになる。この文型は日本語にはないので、最初から例文を暗記しておかなければならないだろう。次は、「私は本を一冊差し上げます」でI give a book.これは英語では主語の後に動詞がきており、日本語の語順とは異なっている。SVOも暗記しておかなければならないだろう。次は、「私は彼に本を一冊差し上げる」で、I give him a bookとなる。さっきからわざわざ一冊と書いているのは、英語では単数と複数の違いがあるからである。そして、この文型がSVOOである。最後が、超難関のSVOCとなる。日本語にはないモノ主語があるのが、この文型である。Sunshine makes me happy.「日光は私を幸せにしてくれる」、となる。これはSVOCである。訳し方では、日光で私は幸せになるとも訳すことができるが、もともとの英語の主語がなくなるので、英語で書かれたことを残すような訳し方のほうが、学ぶ方としては有効だろう。

すべての英文は、五文型のうちのどれかなのであるから、英文を見たらどの文型かを分からなければ、その英語の意味が分からない。恐らく、受験等で英語をそれほど勉強しなくてもいいならば、英語長文も読まなくていいということになるのだろう。だから五文型は重視されておらず、これをしっかり覚えている人も少ないだろう。しかし、英語を使いこなすためには、五文型の修得が必須である。

文型についての解説は、小学校5、6年以上の年齢にならないと理解することが難しいだろうが、こんなことをやろうという、英語担当の小学校教師はいるだろうか？　朝の挨拶、昼の挨拶、夕方の挨拶、自分は日本人だという英語の言い方、このような短い文章を暗記することが、恐らく小学校での英語の学習になっているだろう。英語という言語がどんな言語かなど、何も考えられていない。私自身、英語がどんな言語かなど教わった経験がまるっきりない。どんな言語かが分からない限り、学ぶことが難しいのは当然だろう。

中学校では教科書の予習、復習程度のことを塾で習い、一応高校入試程度ならばクリアできたが、高校になって英語の水準が上がると、私の英語の成績は常に学年の平均点を下回っていた。点数は、父方、母方どちらもその系統である数学で補っていた。ここで私は、英語の無い大学入試などなく、英語で点数が取れなければ、希望校には合格できないだろうと思った。それまでは、何も考えずに漫然と学校の授業を受けているだけだったが、高校2年生の夏休みに、原仙作『英語標準問題精講』と森一郎『試験にでる英文法』の2冊を書店で探し出し、反復して学ぶことにした。どんな本があるかも知らなかったので、すべて自分で調べて自分で買い求めた。前書は、ノートに書き写し、それを3回ぐらい反復

郵便はがき

料金受取人払郵便

8 1 2 − 8 7 9 0

博多北局
承認
0085

169

福岡市博多区千代3-2-1
麻生ハウス3F

差出有効期間
2023年4月
30日まで

㈱梓書院

読者カード係　行

ご愛読ありがとうございます

お客様のご意見をお聞かせ頂きたく、アンケートにご協力下さい。

ふりがな お名前	性別（男・女）
ご住所 〒	
電話	
ご職業	（　　　歳）

梓書院の本をお買い求め頂きありがとうございます。

下の項目についてご意見をお聞かせいただきたく、ご記入のうえご投函いただきますようお願い致します。

お求めになった本のタイトル

ご購入の動機
1書店の店頭でみて　2新聞雑誌等の広告をみて　3書評をみて
4人にすすめられて　5その他（　　　　　）
*お買い上げ書店名（　　　　　）

本書についてのご感想・ご意見をお聞かせ下さい。
〈内容について〉

〈装幀について〉（カバー・表紙・タイトル・編集）

今興味があるテーマ・企画などお聞かせ下さい。

ご出版を考えられたことはございますか？

・ある　・ない　・現在、考えている

ご協力ありがとうございました。

して読んだ。この問題集の英文はかなりの水準であり、いわゆる名文を集めてあったので、英語の文章はどのようなものかを名文を通して学ぶことができた。私的には、本書の文法的説明より、日本語の訳語が大変参考になり、そのような訳語にする文法的根拠を大いに学んだ。後者は、いわゆる参考書的な使い方もできるし、問題集としてもすぐれており、目次が、試験に出る順番になっていたので、最初が不定詞になっている。この本もかなり読みこみ、相当勉強になった。

これらを夏休みに行った結果、夏休み明けの模試は、英語で平均の20点越えを達成した。それ以後、英語の成績が下がることはなかった。そして、このように行った独学が私の学問形成の核になっていった。実は、韓国語も独学で、しかも留学などはせずに、韓国人と自由に話すレベルになっている。韓国語では韓国で本も出版している。私が大学生だった当時は、日本の大学で韓国語、朝鮮語を学べるところはほとんどなく、なんと辞書もまともなものがなかった。こういう事情だったので、韓国語は学習することが難しい言語だった。私はイリノイ大学で売り出された韓国語のテープを使い、在日コリアン一世などと話をしたりして、何とか身に付けることができた。これには、もともと培ってきた独学のやり方が活かされたのだろう。

独学と先生からの学び

学問をやるならば、独学は当たり前であるが、大学生、大学院生はそれだけでは十分でなく、先生から何をどう学ぶかが重視される。私が大学に入学したてのころは、すべて独学でできる、できるようにすると考えていたが、それは間違いであった。人から学ばなければ学べないことがあるからである。

まず、文献の読み方は優秀な教授のゼミによって学ぶことができる。これは一種の職人芸になるだろう。単に書いてあることを分かればいいのではなく、その文章の書かれた背景を理解し、何の目的でその文章が書かれているかを読む人間が理解しない限り、文章読解にはならない。幸いにして私の場合、歴史学の先生からこのやり方を教えてもらった。一度身に付けた技はなくならないので、自分の一生の財産になる。恐らく、今の大学では読み方の授業ができる教員の数が限られており、有名大学卒といっても、このようなことができる人はそんなにいないだろう。大学教育の水準が下がっているからである。文章読解には当然のことながら、英語などの外国語の文章読解力も含まれている。日本語と異なり、基本的な考え方が異なる人が書いているのであるから、読み方が分かっていないと、分かるはずもないだろう。これは、やはりゼミで修得する以外方法はないといえる。

ここまで書いてきたことをまとめるのならば、自分がどうやって大学の教員になっていったのか、という話題になるだろう。簡単に言えば、小学校から高校まで学校で行われてきたことを丸暗記して、それで試験でいい成績をいくらとっても、それは大した力にはならない、ということだ。重要なのは、自分の頭で考える能力をどのように身に付けるかであって、そのためには、外国語（英語、フランス語、ドイツ語などのヨーロッパ言語）を学習することで、論理的な思考性を獲得しなければならない。韓国語の場合、学ぶ時の論理性は必要になるが、つまり、文法的な知識に基づき解釈するなどになるが、韓国語自体が論理的に書いてあるわけではない。ここがヨーロッパ言語で書いてある文章との違いである。ヨーロッパ言語の場合、もちろん何が書かれてあるかに関係しているが、私が対象とする学問関連の場合、それらは例外なく、すべて論理的に書かれている。もちろん、韓国語でも論文や学者が書いた本などは論理的に書かれてある。しかし、ヨーロッパ語の習得にはこのように論理的思考そのものを身に着ける意味も大きい。

ここまで書けば、今盛んに言われている日本における教育改革のあり様が、私が書いてきたことに関わっていることが分かる。思考能力、コミュニケーション能力、新たなことを見出すイノベーション能力がこれである。

生活の仕方に出る教育のあり方

次に、学習、学びとはやや視点を変えて、私自身の具体的な生活の仕方について書くことにする。恐らく、大半の人々とはかなり違いがあるだろう。しかしながら、私がやっていることにはほとんどすべて根拠があり、それを学んだうえで、生活で実践しているだけである。学校での学びとは別次元の学びについて、考えるための材料提供になろう。

自分の身体は自分でつくる

生活のやり方なので、朝起きてから夜寝るまで、どんな生活をしているかになる。まず、朝起床して最初に行うのは、口の中の掃除である。舌に付着した細菌類をスプーンでとり、その後、歯を磨く。歯磨き粉は、毒性がまったくない石鹸歯磨き粉である。これはアマゾンでも売っている。通常の歯磨き粉は界面活性剤が入っていて、これは有害である。私は一日に3回歯を磨いている。なぜかといえば、歯周病の予防のためである。歯周病ときくと、歯の病気だと通常は思われるだろうが、実際は、歯周病が原因で、高血圧、大動脈瘤、脳梗塞、腎臓病などなど、種々の病気が起こる。最近では、歯周病がいろんな病気を引き起こしているという事実関係が広まっているが、では何をどうしたらいいのかなどについては、それほど知られていない。私は佐賀の矢山クリニックに通っており、ここで私の動脈瘤の原因は歯周病だと診断され、それ以後ずっと歯周病の治療と予防を続けている。現在、身体のなかには歯周病菌はなくなっているが、歯周病は歯の健全さが失われればいつでも発生するので、毎日3回歯磨きをすることで予防している。

歯磨きなどの身支度の後は、普通ならば朝食だろうが、私は朝食は食べない。もう、5、6年朝ご飯は食べていない。朝ご飯を抜いて、毎日毎朝、断食をしている。実際、これを始めて、体調がすこぶる良くなっている。私の奥さんも同様にやっており、中性脂肪などが正常になっている。簡単に言うと、現代日本人は飽食であり、食べすぎなのだ。もともとは朝は早朝から畑に出て、10時過ぎぐらいまで野良仕事、その後に遅い朝食兼昼食が普通であったので、今の人が食べている朝ご飯は昔は食べなかった。3食食べ出してから、5、60年程度しか経っていないだろう。実際、朝ご飯を食べたくなくても、無理して食べている人もいる。朝ご飯は健康のために食べるべきと言うが、実際は、朝ご飯を抜いても何ら問題はない。もしエネルギーが足らなければ、皮下脂肪からエネルギーを供給できるので、朝ご飯を食べないことで何かの問題は起こりえない。朝断食などの本もあるので、このようなことは誰でも学ぶことができる。

朝ご飯を7時に食べて、夕ご飯を7時に食べたら12時間しか時間が経っておらず、消化器系の内臓はほとんど休めなくなってしまう。しかし、朝ご飯を抜けば、昼ご飯を12時として、17時間は何も食べないので、消化器系の内臓を休ませることができる。現代人は、飽食の結果､内臓をやたらと使っており、これが原因で消化器系の病気にもなりやすくなっている。アメリカで現在の朝食が一般化したのは、エジソンがトースターを発明して、それを売るために健康のためには朝ご飯を食べた方がいい、というキャンペーンをしたおかげである。大体こんな調子なので、自分の身体は自分で守らないと誰も守ってくれない。

朝は、白湯を飲んでからコーヒーを飲んでいる。一日にアメリカンコーヒーを6杯程度飲む。これは、痛風の発作予防のためである。アメリカでは、コーヒーを飲むことで痛風の発作予防ができるという統計調査がある。ただし、なぜコーヒーにそのような効果があるのかは、まだ分かっていない。一説ではポリフェノールのためではないかと言われているが、真相は解明されていない。コーヒーは飲む量を調節すれば薬効があり、健康にいいので、アメリカンコーヒーだと6杯分、日本のコーヒーだと4杯分のコーヒーを毎日飲んでいる。朝は大体3杯で、あとの3杯は昼ご飯の時に飲むようにしている。夕方以後は、カフェインの影響で眠れなくなる可能性があるので飲まない。おかげさまで、痛風の発作は10年以上まったくない。

自宅にいるときが長いので、自宅では朝のストレッチを行い、それから血圧をコントロールするための運動もして、そのまま書斎に入り、本を読むか書くかのどちらかの生活をしている。その後、一日のうち30分以上は歩くことにしている。ストレッチをやった上なので、歩行をすることで通常よりも運動効果が出る。このストレッチについては私が書いた本で紹介しており、これまで出版された本を総合的に参照して、血流がよくなり、手足をリラックスさせる効用をまとめている。私の場合、別に血圧の薬を飲まなくとも、運動で血圧コントロールができるようになっている。しかし一応、矢山クリニックからは副作用のない血圧コントロールの薬をもらってはいる。

運動については、恐らく普通の人とはやり方が根本的に異なっているだろう。それは歩き方に出ている。私の歩き方は、江戸時代までは一般的であった「ナンバ歩き」である。この歩き方を簡単に説明すると、竹馬の乗り方と同じである。竹馬に乗ると、右足を出したときに右の肩が高くなり、前に落とすと、右の肩は下に落ちる。これを、竹馬を使わずに行っている。原理的にいえば、この歩き方は足を出したときに体重が載っていない。足の重さだけで落としており、落とした後に、体重が移動している。つまり、足を動かすのが楽な動きになっている。いわば、足が軽いのである。昔の人々は一日中、歩いて仕事をしていたので、なるべく疲れないように動いていた。それがこのナンバ歩きである。

日本の場合、明治になり、学制が敷かれ、国民教育がスタートした。そのときに明治維新政府が参照したのは、ヨーロッパ各国の富国強兵政策である。それまでは国民皆兵という考え方も何もなかったのであるが、富国強兵となれば、男性の国民全員が兵士にならなければならない。その際に、兵隊としての基本的能力が必要になる。そこで日本では学校にマーチ、行進が導入された。これまで行進など誰もやったことがなかったが、やり方に習熟すると、それまでのナンバ歩きから後ろ足で力強く蹴って歩く歩き方に変わっていた。現代人一般の歩き方がこれである。

ナンバ歩きは、後ろ足では蹴らない。歩くときに、前に倒れるだけであり、倒れないようにするために、前足を出している。しかも前足には重心がかかっておらず、重心は足を出した後からかかってくる。ナンバ歩きは軽く身体を動かすことで、身体を十全にコントロールできるやり方になっている。これと反対に、後ろ足で蹴る歩き方は、蹴った前足に重心がかかっている。いわば、重い足になっている。

そして、私の使っているサプリメントについて書いておかなければならないだろう。まず、総合ビタミン剤、ビタミンB、C、それに、ビタミンAを飲んでいる。なぜかと言えば、今の日本の野菜は昔と比べると栄養価が落ちているため、もし必要なビタミンを野菜だけで吸収しようとすれば、相当な量になる。とてもではないが、それだけの野菜は食べられない。それから、複数のビタミンを服用しているのは、例えばビタミンＣだけだと吸収が落ちるが、総合ビタミンと一緒に服用すると、吸収性がアップするからである。これは医者ならば、大半の人が知っている事実である。恐らく、サプリメントなど全然関心のない人は、ここに書かれてあることを知らないのだろう。知らぬは仏とは言ったもので、そんな人々の大半がビタミン欠乏症になっているはずである。ビタミンＢとＣは余分に飲んでも体外に排出されるので何も問題ないが、Ａはそうではないので、量を調節しながら飲む方がいいと思っている。ビタミンも種類によってその性質、特徴が違うのである。ビタミンに加えて、数種類のサプリメントを服用している。すべて、体調コントロールに都合のいい成分が入っているからである。

私はサプリメントにどのような効能があるかを調べ、その効用の裏を調べてから服用を始め、それから実際に効力があるかどうかを自分の身体を使って調べる。そうするだけで、自分にとって意味のあるサプリメントが手に入る。日割り計算をすれば一日１００円に満たないものばかりであって、そんなにお金も必要ではない。

私の個人的想像に過ぎないが、歩き方も含めて、私と似たような生活をしている人はあまりいないだろう。まず、基本的知識を習得していないことが一番の理由であり、知らないのであるから、同じことをできるはずがない。例えば、私は小便をする前に手を洗う。なぜならば、これは医者なら誰でもが知っていることであるが、性器自体は何も汚れていないが手の方が汚れているので、性器を汚さないようにするために用を足す前に手を洗った方がいいからである。こんなことを知った上でやっている人は、ほとんどいないだろう。かなり簡単なことであるが、知らないから誰も実行しないに違いない。

さて、かなり長々と書いてきたが、ここまでご理解できれば、現代教育の問題点と今後の教育のあり方について考える準備が整っただろう。次の章では、この目的のために日本における教育の歴史を見ていき、その後に、最近出版された本に基づき、現代教育のためには何が必要であるのかを考えていくことにする。大半の人は自分が受けて来た教育について反省的に捉えておらず、しかも、実際教育関係者でなければ教育について考えたこともないだろう。いきおい、「分からない」「知らない」ということになってしまう。まずは、自分が受けてきた教育について反省的に捉えなおすことが必要だと考えられる。

【第八章】日本の教育の歴史

前の章で、大半の読者は、自分がどのような教育を受けていたのかについて考えたことだろう。こういった手続きを経ないと、自分とは関係のないどこかの「教育」らしいといった話になってしまう。重要なのは、自分たちがどのような教育を受けて来たのか、そしてそれは妥当だったのか、あるいは良くなかったのかについて考えることである。

この理解を深めるためには、やはり日本における教育の歴史について考えなければならない。そして、これを通して、自分が受けて来た教育はいつ頃始まったのかという歴史的理解が必要になる。大まかにいえば、明治になってから近代の時代に入り、近代教育が開始されたその時、それから昭和になりあちらこちらで戦争を引き起こしていった戦争期、それから太平洋戦争に負けてからの民主主義を看板にした教育、このような区分けが可能になる。明治以後ほとんど変わっていないような面もあるし、「軍国主義」で終わったかに見えて、実は現在までずっと継続していることもある。

年齢の違いによって、ある程度受けて来た教育の違いもあるだろう。しかしながら、大きな枠組みで見ると年齢の違いはそれほど大きくはない。というのは、今の子どもの大半が外で遊ばなくなり、ゲームが遊びの主流になっているような事態は、これまではなかったことだろうからだ。つまり、今の子どもがこれまでの子どもとは相当に異なっているということである。これは単に教育だけでなく、社会の状況との関連で考えなければならない変化だと考えられる。

精神重視の近代での身体の役割

近代という時代には大きな矛盾がある。デカルトによる考え方では、人間が人間たるゆえんはその精神にあり、その精神によって肉体はコントロールされており、肉体は単に機械と同様な単なるモノであって、それを重要視する必要はない、ということになる。こういった一種精神中心主義が一方にありながら、近代になってからの帝国主義は、他国を侵略し、自国の利益をむさぼる時代でもある。そのような攻撃、侵略は身体なしの人間はできず、人間のもっている身体によって、このような攻撃、侵略、搾取が行われてきた。身体なしではできないのに、重視されないのは矛盾である。富国強兵のためには身体が重要な意味を持って当然だ。この矛盾は、近代という時代にあってはいたるところで頭をもたげており、日本のような非ヨーロッパ国、後から近代化を達成しようという国においては、前近代に生きていた世界と異なる世界への参入でもあり、日本国民は相当なストレスを経験することになった。

江戸時代の日本においては、一般民衆の多くは農民であり、身体を使って農作業をすることが生業であった。また、支配層はサムライであって、事実上、世襲制の公務員のような存在であった。しかし、江戸時代に戦い争いはほとんどない。それでももともとは戦闘を生業とする人々であったので、公務員生活とはいえ、武術が不必要にはならなかった。

このように、江戸時代において身体は重要な意味をもっており、一般庶民の生活に入り込んで宗教生活を営んでいた修験からの影響もあって、「心身一如」という考え方は一般民衆の間にも広まっていた。もちろん、武術をできなければならない武士も同様であった。これはヨーロッパ近代とは相いれない考え方だったので、近代化の前に、表向きは消されていた。しかしながら、民衆の間には連綿とこの考え方が生き残っており、九州大学の心療内科を始めた池見酉次郎は、心療内科の基本哲学として、この「心身一如」を取り上げている。そしてこの考え方は、日本の臨床心理学、精神医療の世界で、かなり受け入れられている。

日本においては、明治になって国民教育制度が始動することになり、明治5年（1872）に学制が始まった。ちょうどこれと同じ時期に地租改正が行われ、江戸時代は特定の農村共同体から年貢を徴収されていたのが、個人単位で税金を取られることになった。地租改正によって、それまで人々の生活の拠点だった農村共同体はその共同性を失わさせられ、近代の大前提である個人が、すべての単位として考えられるようになった。しかし、ここでいう個人はヨーロッパでの主体性をもった個人ではなく、あくまで日本国民としての個人であり、国家主義と関係のないものとはならなかった。「後進国」日本では、本来的な意味での個人は必要とされなかったのである。

学制が始まれば、必然的に欧米の近代教育の考え方が採用され、それに基づいた教育がなされる。これは、現代に至るまで踏襲されている一斉教育、一律一同のやり方である。教える人が教える内容を複数の子どもたちに教授するやり方であり、今では大体の人にとって学校での勉強とはこの種のやり方であり、これが学校での教育そのものになっている。これは思考力をつけるのではなく、相手から知識を教わり、その知識を覚えるためのやり方である。欧米でこのやり方が一般的だったので、そのまま日本にも輸入された。当時の施政者の考え方では、日本は早く欧米に追い付き、国力を蓄えなければならない。そのためには、日本の人々を近代化し、早く日本国民を誕生させなければならなかった。日本はその後もずっと欧米のやり方を追いかけそれを真似して、国家主義に都合のいい方にその真似の内容を合わせる方針があった。個々人の能力を内発的に開発、援助するなどということは、本来国家主義には何の関係もない。しかし当時は、国家主義と関係しなければ教育にはならないと考えられていた。

明治時代から国家主義が基本理念になったが、一応大正デモクラシーの時代があったり、欧米の新たな思想が入ってきたりした。しかし、この基本路線はずっと堅持されていた。これを継続することで、昭和になってからは「非国民」「日本臣民にあらず」などといった、国家主義の考え方に基づく排除も働くようになった。すべての源は国家であり、国家あっての個人だったわけである。

ここで、身体についての教育について見ていくことにする。現代の学校でもごく普通に使われている、「知育」、「徳育」、「体育」のスローガンは、明治時代の欧米教育の輸入から始まっている。なぜここに体育が入っているのかというと、もちろん、欧米でそういわれていたという理由もあるが、それだけではない。富国強兵をめざす大日本帝国としては、体育がなければそれが達成されず、学校教育に体育が絶対的に必要とされたためである。「休め」、「気をつけ」、「礼」などは軍隊式のやり方を学校に取り入れている。まさに、体育の実体の一部は軍事教練だった。だからといって、教育としての体育がまったくなかったのではなく、健康な身体を持ち、健全な生活を営めるようにする、という方針もあった。しかし、明治以来、体育について教育の専門家はあまりそれを対象にした言及をしておらず、デカルト的な精神主義がこの専門家のなかでも幅をきかしていたと考えられる。教育的見地からもあまり重視されていないわりには、現場において軍事教練の意味合いもあったのであるから、教育現場だけでそれなりの意味が作られていったと考えられる。

いわゆる教育学畑からはあまり相手にされていなかった体育は、昭和になってから、日本の軍事拡張が広がるにしたがってその勢いを増していった。戦争状態が進めば進むほど軍事教練の色彩が濃くなり、極端にいえば、「一億玉砕」のようなスローガンになっていった。体育＝軍事教練が当たり前になっていったので、身体を大切にし、健康な生活を健全に育成するなどといった、一種「甘い」言い方は許されなくなっていった。

このときに教育を受けた人びとが高度経済成長期のモーレツ社員であり、これらの人の中には、会社のために玉砕するんだ、といったスローガンに近い感覚を持つ人もいた。このような軍国主義の発想は、大学生等にも共有化されていた面がある。学校で習う内容が記憶主体であり、みなと同じように内容を暗記していれば、それで十分だという態度があった。思考力ではなく、記憶力で自分の存在証明をしており、教育内容自体が企業戦士化していたのである。皆と同じように同じことを為し、覚えることはちゃんと覚え、先輩後輩、上司と部下の関係を維持して、会社のために働くこと。これが彼らの生きる道になっていた。

企業戦士育成のための教育

高度経済成長期には、思考力など関係なく、会社の秩序に従い、重要なことは忘れず、あらゆることを覚えていればいいといった感覚が普通であり、このような企業戦士を教育体制がサポートしていた。これが日本型受験勉強であり、その後も長くこの伝統は続くことになった。体育は戦後の受験体制の中では、高学年になればなるほど無意味であり、高校生の大半にとって、体育は「気晴らしの時間」でしかなく、何かを学ぶ時間にはなっていない。

戦後の民主教育と称する体制は、戦前の国家主義が就職先の会社中心主義に転換され、国家への忠誠が会社への忠誠に変わった。一応表向きは個性重視であり、主体性重視になっているが、一皮むけば皆と同じようにが前提であり、自分だけ特別な意見でも言おうものなら「わがまま」「自分勝手」の烙印を押され排除されてしまう。名目上の個性でしかないので、個々のもつ意見なり考え方には誰も関心がなく、教師の言う「正解」が重要になる。受験勉強では正解があるが、我々が生活する世界には通常正解などない。我々ができることは、より良い方向に我々の生活を向け、より良い結果を出すだけである。みんなそんなことは分かっている。しかし、受験勉強には必ず正解があり、それを答えなければ点数にはならない。いわば、一種のゲームをやっているだけなのだが、それがあたかも本当にそうだと思わなければならなくなっている。そこに、一種の権威主義が隠れており、誰かにすがれば、すべてがうまくいくという基本的考え方になるといえるだろう。

ここまで読んだ読者は、自分たちが受けて来た教育とは、社会に実際に役に立つというわけでもなく、何かを考える根拠になるわけでもなく、何のためにやったのだろう、ということになるだろう。実際は、ゲームで勝てばそれなりの地位が獲得できるからやっていたということであり、そのゲームは日本においては一生の間通用する学歴につながっている。何をどのように学んだかではなく、その大学を卒業していれば就職が容易になり、一生その大学卒の肩書を使うことができるのである。

簡単に言えばこういうことなのであるが、特定の大学に通うことによって、その大学の人間と人間関係ができ、また大学のシステムにも慣れてくる。これを通していわゆる社会化が達成するのであり、特定大学卒業の人間しか持ち得ない文化資本も獲得できる。もちろん、この文化資本と本人が本来的に持っている能力とは一応別であり、文化資本はそれを持っている人間同士しかコミュニケーションができないという特徴がある。ここに、学閥形成のメカニズムがあると考えられる。これによって、特定大学卒の者が獲得できる特典が生じることになる。

しかし、これはある一定レベルの大学に言えることであり、それ以下の大学では大した文化資本にはならない。文化資本になれるだけの有名校に行かなければ、無意味になる。畢竟、一流大学卒しか甘い汁は吸えなくなっている。

ここまでは、大学まで行った人々についてであって、実は数の上では大学に行かない人の方が数が多い。今では、フリーターだの非正規雇用が当たり前になっており、高卒でこのような境遇の人の数が増えている。しかしながら、ひと昔前まではこのような人はほとんどいなかったのであり、どこかの会社か役所に就職するのが普通であった。これらの人々は大卒者ではないので、文化資本形成などは元々から期待されておらず、何らかの専門的知識なりが要求される職場に行くだろう。高度経済成長期は、大卒者は企業戦士予備軍であり、それなりの貢献を企業から期待されているが、高卒の人々の場合、そのような期待よりも毎日の業務でそつなくやれることが重視されており、いわば、皆と同じようにやることで生計を維持できるようになっていた。受験秀才になれなくとも、皆とのより良い関係を維持できていれば、それ以上の期待は持たれなくて済むのである。そうなると、高校までの教育で重要なのは、皆とのより良い人間関係の維持になり、学校で学んだ内容はほとんど意味がなくなる。旧来の日本の教育システムは、このように実社会において、それなりの機能が達成されていた。

ところが、世界の現状は、このような人々がそのまま仕事につけるようにはなっていない。ロボット開発が進み、ロボットができる仕事は人間に任せる必要はなくなっている。

もう一度、大卒について、企業側から考えてみよう。企業側からすると、自分のところの社員はある一定以上の能力がなければ意味がない。その能力を保証する基準が、旧帝大などのラベルになっている。このラベルは、新入社員すべての能力保証ではなく、事実上どれくらいのパーセンテージなのかという意味での「品質保証」である。受験秀才なのだから、記憶力等についてはある一定程度の「品質保証」があるが、他の能力については保証は実質的にはない。しかしながら、企業側にしてみると、ある一定水準以上の大学卒ならば、その大学で生き残れたのであり、ある程度優秀な学生のなかでもまれ、そのなかで優秀な人間にも関わったというのは事実である。そこにおいて、記憶力以外の思考能力、創造性なども、ある一定レベルはあるのではないかという予測が成り立つ。そのパーセンテージが、有名大学卒、旧帝大卒者であるのならば、入社のときに一人ひとり念入りにチェックしなくとも大丈夫であるという判断になっている。さらに、記憶力中心であり、大した思考力などがない者は、いわば兵隊要員なので、兵隊として使えばいいのであり、無用な人間にはならない。昔は、企業において人材養成のための期間があったので、将来出世したいのならば、その期間にどのような能力が必要かを学ぶことができたし、同じ学閥の先輩から手取り足取り指導を受けることもできた。特定企業内では一般的に、どこの有名大学卒かという学閥があり、これも人材確保には一定の機能を果たしている。同じ大学卒なので文化資本を共有しており、お互いに話が合うので、仕事を一緒にするうえでそれが助けにもなる。高級官僚の大半が東大法学部出身というのは、これと同じ原理に基づいているといえる。「品質保証」に個人をみなくとも、客観的なレベルで判断できる材料を、官僚も企業ももっているのである。

このやり方で、1980年ぐらいまではそれなりに企業はうまくやっていけたといえるだろう。しかしそれからは、このやり方では人材確保が難しくなった。本質的に有能な人間のパーセンテージが低くなってきたのである。このころになると、企業は手間と時間のかかる社内での人材養成のための社内研修などをしなくなり、最初から能力のある人材確保の方針にやり方が変わってくる。もし潜在的能力があっても、社内研修などの機会がなければその能力が伸びることはないのであるが、人材確保そのものが企業にとって死活問題になってきた。こうなってくると、単に出身大学だけでは個人の能力をはかるのには十分ではない、ということになる。2021年現在においては、もちろん旧来のやり方も踏襲されており、有名大学卒は優遇されてはいるが、昔ほどではない。それには以上のような理由がある。

当然のことながら、企業側の要請もあり、そして時代の変化に対応する人材育成が必要との社会からの要望もあって、文部科学省はこれまでの記憶力中心の受験秀才養成の方針を転換した。これが今である。そして、これに基づいて共通テストも作ってあるが、果たして、これがまともに機能できるようになるのだろうか、という疑問が出て来る。

これまでずっと記憶力中心で、一斉授業、一律一斉のやり方が当たり前だった小学校から大学のやり方を、変えることができるのだろうか、ということである。文部科学省からのクレームで、大学の大人数講義も双方向授業にならなければならないとされている。双方向授業というのは、教員の話をするだけでなく、学生からの質問意見も反映される授業形態であり、先生の独壇場を禁止する方針を指している。授業をやっている方からすると、そもそも、日本において大人数授業で質問などする学生はほとんどいない。アメリカならば、質問、意見は当たり前になっているが、日本にはこのような知的伝統は形成されていない。それで、どうやって双方向ができるのか、ということになる。私の場合、オンライン授業では、毎回簡単に答えられる質問票を配り、それに解答してもらうようにして、それと合わせて質問も受け付けるようにしている。イエスかノーかの簡単な質問であり、教科書の内容理解の初歩になるので、これをやれば学生の理解をあげることができる。こんなやり方でもしない限り、日本においては双方向授業など無理な話である。

教育委員会の人事

これまでのやり方を抜本的に変えるためにはそれなりの人材が必要であり、その人材が今の日本にいるのか、という問題がある。小学校、中学校、高校の先生が今までやってきたやり方をやめて、新たに子どもとの対話重視、自分の頭で考えられる授業にすることができるのだろうか、ということである。はっきり言わせてもらえば、可能である。しかしながら、そのためには条件がある。

次の章で論じる内容との関連では、既に杉並区では新たな教育を実施して、それによって成果が出されている。これはやる気さえあれば、そして人材さえいれば、改革が実施可能になるという重要な証拠である。ところが、これは全国の地方自治体の教育関連の人事をみれば一目瞭然であるが、教育長の人事はその地方自治体で昔からずっと教員を養成してきた地元の大学出身で、しかも教員であった人になっている。一種の利権がここで作られており、その利権に基づいて人事が、何年も何十年も繰り返されている。もともと教師なので、自分がやってきたやり方に固執し、新たなやり方ができるような体質はなかなか見つけにくいだろう。また、大学でも毎年やってきたルーティーン化されたやり方を繰り返しているだけなので、そこには新たな考え方が入る余地はほとんどないだろう。

新たなやり方が各々の地方自治体でやれるのか、という問題の他に、教員の過重労働の解決という別途の問題もある。これは、教員の精神病になる確率や退職率などを考えれば早急に対応しなければならない問題であるが、文部科学省はこれに対する解決策などを出していない。つまり、この解決は各々の地方自治体がやるしかない、というのが実態である。恐らく、教員のことについて十分な知識のない人々は、学校の先生は夏休みもお休みだから、楽な生活を送っていると思っているのではないだろうか。実際は、授業の準備などの教育に直接かかわること以外の業務が山と積まれており、とてもではないが、これをこなすのは大変な仕事である。よって、これがもとで精神的な問題が生じる教員が続出し、そして、中途で辞めていく教員も増加している。

教員の負担を減らして、過重労働を解決しなければならないこの実態に対して、地方自治体の教育委員会は何をしているのか、と見てみると、恐ろしいことにほとんど何もしていない、というのが事実である。「国ができないのに、地方自治体に何ができるのか」というのがよく使われる言い訳だろうが、仕事の量を減らす工夫をして、過重労働解決のための方策つくりをやろうと思えば、できないはずはないだろう。それをやらないのは、自らもともとは教師である教育委員長が、この問題を解決する考えがないからだと言わざるを得ない。実際、こんな問題があると思っている一般市民は限られており、大多数の人は何の対策もないことにクレームをつけることもなく、何をしているのかさえ知らないだろう。

この過重労働の一因としては、その筋からの調査の依頼などがある。どういうことかと言えば、学校における教育の実態を調べろという県や国からの依頼である。このような要請が来た場合、関係の行政はさっさと下におろし、教員たちがその仕事をすることになる。普通ならば、行政レベルでその調査と称するものが必要なのかどうかの検討の必要があろうが、現在の行政では「上から来たのはすぐ下に」降ろされるだけになっている。日本においては、関係各省庁の各部局でとにかく業績をあげないと仕事をしたことにならないので、自らの業績との関係で、各種様々な「調査」と称することを毎年行っている。そのため、実質的にどのような意味があるかは関係なく、「調査」だらけになっている。本来的な調査とはその目的が明確であり、学問的なレベルでの問題設定も明確でなければならない。しかし、これら通常行われている「調査」は、単なる「実態把握」でしかないので、事実上の調査になっていない。このように、普通の人が考えている調査と学術的な調査は意味が違うのであり、必要なのは普通の調査ではなく、学術的な調査である。

というわけなので、受けるべき業務であるかどうかは調査の専門家に委託して、その結果にコメントをつけて返答として出せばいいだけである。調査の専門家が見れば、こんなことはすぐに判明する。素人判断でしか対応しないので、ちゃんとした対応ができないだけである。委託業務であるので、それほどの予算も必要ない。こうすれば、教員の負担は相当減るだろう。行政は、自分たちの教員を守るという強い意志がなければならないはずであるが、果たしてそのような意識はあるのだろうか。

この過重労働に加えて、保育士、幼稚園の教諭の低賃金問題もある。フランスなどでは考えられない実態だろうが、日本においては、保育士、幼稚園の教諭、介護士などは、信じられないくらいの低給与になっている。教育、福祉には金を使わない、ということなのだろうが、この人たちがいなくなったら、教育も福祉もたちゆかなくなる。地方自治体は、これについても対応を求められている。これが解決しない限り、より良い教育などできるはずがない。元教員が教育委員長（教育長）を務める各自治体の教育委員会は、このことについてどう考えているのだろうか。簡単にいえば、「旧来通り」であって、新たな方策など何も考えていない。頭のなかにあるのは、「昔のとおり」なのであって、新たに刷新するという発想そのものが希薄だろう。これまでずっと「前のまま」でいいと思ってきた人が、今さら何か変えようなどとは思わないだろう。

こういった現状があるので、可能なことでも可能にならない理由がお分かりだろう。最終的には市民がどう思っているかで方向が決まるのであって、何も考えていない市民ならば、変わる可能性はない。それだけのことだろう。

確かに、人権については学校で習っている。一応、この言葉は誰でも知っている。しかしながら、その意味になると理解があいまいになっている。学校では抽象的なレベルでしか教えられていないため、本来的な意味について理解できるようにはなっていない。大半の人々にとっては、「人権擁護」といえば、「部落差別反対ですか」といった受け取り方だろう。自分たちの人権を守るなどといった発想自体が希薄であろう。それはなぜかと言えば、このような抽象的な言葉の意味を日常的な言葉で考えていないからである。

大牟田の事例で考えると、炭じん爆発が起こったのはなぜかといえば、会社側、三井側が安全対策を怠ったからである。また、この裏には、かなりいい加減な国と企業の態度が横たわっており、事情を直接知っている人もいまや70代以上しかいない。しかしながら、ネットで大牟田の炭じん爆発と調べれば、ウィキペディアでも項目が出て来るので、これを読めば事実関係は明らかになる。当初、福岡県の検察は三井の管理責任を問い、起訴する予定であったが、これらの関係検察は突然の配置転換によって、それができなくなった。そして、新たに来た検察等によって、「証拠不十分」として起訴されなかった。学術的な調査に基づき、三井の責任は明確にされていたが、それを検察は無視したのである。これが事実関係であるが、人権擁護とは「命を守る」という意味であり、命を粗末に扱ったら、それは人権侵害になる。三井の場合、明らかに炭鉱労働者の安全管理を怠ったという事実を否定することができない。

命を守ると言えば、理解できない人は誰もいないだろう。誰もが分かる言い方を避け、抽象的な言い方しかしないことで、意味が広がらないようにされている。この事実に我々ははっきりと目覚めなければならない。この事例では、三井財閥であった巨大企業擁護に国が動いた、というだけでなく、三井が有罪となれば、国の管理・指導責任も問われることになるので、それを恐れたとも考えられる。

日本の教育の歴史をここまで考えてきたが、これらの我々が受けて来た教育の問題は、次の章で提案されている新たな教育との対比を考える上で、重要な資料になる。教育とは我々の未来を決定する営みなので重視されなければならないが、大半の人々は自分が受けてきた教育も忘れ、現状の教育についても無関心である。それが何を意味するか、ここまでお読みの方々はお分かりだろう。誰も考えないので、都合のいい人々が仕組みを勝手にコントロールしているということである。我々としては、常に監視の目をもって、事態を冷静に分析するとともに、それに基づき、より良い未来のために教育について考えなければならないだろう。

大牟田の未来は我々が創る、という気概をすべての市民が共有し、それを実践するだけだ。私もその一員として、精いっぱい努力したいと思っている。

【第九章】現代教育の問題と今後の教育

大牟田の教育を考え、それをより良くしていくために、まずは日本全体の教育の問題を考える必要がある。そしてそれに対してどのようなアプローチがされているかを考えたうえで、大牟田の教育をどうするかを考え、実践しなければならないだろう。

ここに、大変な一冊の本がある、山口裕也『教育は変えられる』（講談社現代新書）である。一般的に教育についての議論は、大体が教育学者あるいは教育について考えているその他の分野の学者が書いている。しかし、この本の著者は確かに研究者ではあるが、単に研究だけをしている人ではない。この本では、著者自らが杉並区という行政で実践的に行ってきた教育について書かれており、よくありがちな「机上の空論」にはなっていない。簡単に言えば、既に実施され、実証されているデータに基づき、教育がどうあるべきかが書かれている。これだけの説得力のある教育の本は、これまでほとんどないといっても過言ではないだろう。しかも、一読すればわかるが、「皆同じで、同じようになる」教育ではなく、みんな違って、違うようになる教育を基本としており、従来の担任制ではなく、複数の教員と一人の子どもの関係を学校で形成するべきとしている。これまでの日本の教育とは全く違う教育哲学、教育行政学になっている。

２０２1年にこの本が出版された歴史的意義は大きいと言わなければならない。ここまで読まれた方は、現在の日本教育の問題について了解されているだろうから、この章ではその問題克服の具体的方策について知ることができるだろう。

多様性と一貫性の教育

『教育は変えられる』は、第一章が教育についての基本的考え方である多様性と一貫性についてであり、第二章が学校の中で教育に関わる人々のあり方について、第三章が学校の施設・設備について、第四章が教育を支える行財政のあり方について、そして第五章が、それまで論じた内容に基づき、公教育がどうあるのか、どうあるべきなのかという理念と実践との関係について書かれている。最後は本書の主題である教育は変わるということについて、「おわりに」で事実認識とその事実を我々が実行する取り組みについて書かれている。

普通の人々にとって、現在のテクノロジーの発展は学習内容のデジタル化につながり、合理的プログラムに基づいて教育を受けるといったイメージになるかもしれない。つまり、コンピュータのプログラミングのようなデジタル方式でやることが合理的だと思われているということになる。このような発想では、教育を受ける側の主体性、学びの方向性などは、全て前もって設定されているプログラムによって左右されることになる。学ぶ人間の学びそのものには、このようなテクノロジーだけでは対応できない。

よって、筆者は最初に、学びは何を以(も)っても自分のためであり、自分をより良くするためだとする。自分以外の異なる個性と関わり、「共に生きる」、「生かし合う」、「協同」、これらを通して自覚され、我々の生きる世界を彩り豊かにするのが、教育になる。ひとりの子どもは学ぶ意思を持ち、学ぶ権利を持っている。しかし、その子どもが学びを十分に遂行できないのならば、それをサポートする教師が必要であり、そのサポートのための設備も必要になる。つまり、学ぶ意思を持った子どものために、公教育は様々な環境整備をしなければならない。これが、すべての人が例外なく合意できる意志につながっている。新自由主義の時代では、個人は個人の責任で学習しているのであり、学習成果が出るかどうかはその個人の自己責任であって、公教育はそれについては無関係だなどということがよく言われた。しかしそうではなく、学びが十分に遂行できなければ、それをサポートして、それを達成可能にしていくのが教育の営みであり、それが公教育の責任になる。もちろん、ここに国家が介入して、個人のためではなく国家のための教育となれば、公教育の理念は完全に崩壊し、全て国家重視の国家主義によって支配されてしまう。

現在、学校では文部科学省の学習指導要領に基づいて教育が行われているというよりも、定められた場所で定められた時間を過ごすことで、学習は修了してしまっている。他律的な誰かによってあらかじめ決められた集団ごとにわかれて、皆同じ学びがされており、学びの主体である子どもたちが自分たちで何かを選ぶ余地はほとんどない。学校生活において、子どもたちが自分で決めることはほとんどなくなっている。よって、学校が本来的な意味での自由と承認の場になるためには、子ども一人一人が自らのタイミングで学習できるような条件が必要になる。皆と同じでなければならないという考え方があれば、自分のペースで何かを行うことはすべて「わがまま」にしかならない。実際、これまではほとんどがこの考え方に縛られ、個人個人の違いなどないという前提でしか、教育実践が語られてこなかったと考えられる。

近代の初めから一斉一律教育が当たり前であり続けたのだが、上記にあるように、今は時代の変わり目を迎えている。これまでの当たり前を再考し、新たな考え方を創造する時代が今なのだ。考えてみると、学校では自分たちが学びたいことを学んでいるのではなく、最初から学ぶことが設定されており、それを全ての学生が一斉にそして一律に学んでいるのであって、学ぶ人間の主体性などないに等しかった。そのため、もし、めいめいが学びたいことを学ぶとなれば、教師は何をするのか、という話になりかねない。自分で教える内容を指定できなくなり、教師は何もできなくなる、というお話になりかねないのである。ところが、教師には学びの大枠は与えられているので、その枠組みに基づいて各々の子どもも選択をしている。つまり、教師の仕事はなくなるわけではなく、これまでやっていた仕事のやり方とは違ったやり方が必要になるだけである。

近代になり、日本国民には学びの権利が与えられた。もちろん国家主義がその前提であったので、単に個人の学習権が確立したのではない。しかしそれでも、学習できるようになった利点はあったので、この学習権を利用して人々は学ぶことができた。やがて、帝国主義から始まる戦争の世紀になり、日本も太平洋戦争を始めた。このときも、国家主義が大きな力を持った。やがて敗戦になり、日本は民主国家として生まれ変わることになったが、国家の代わりに企業が忠誠心の対象となり、いわゆるエリート層に会社中心主義が形成された。要するに、低学歴の人々が食べて行けるだけの生活をするのとは違った層が形成されたのである。これが、いわゆる一億総中流の起源になろう。これで社会的な上昇がそれなりに迎えられ、個々の家庭生活もそれなりに上昇できることになった。しかし、それからは経済力低下の時代になっていき、１９８５年のプラザ合意以後はアメリカの国策が優先され、日本の自立性は経済を中心に低下していった。それからバブル崩壊になり、人々の間の格差が広がり、上と下では事情が異なってきた。簡単にいえば、体験や情報を共有して文化的に成熟していく一部のエリート層と、いわゆるゴーストワークに勤しみ基本財を融通せざるを得ない大多数の貧困層とに社会が分断される傾向になった（山口裕也 p.61）。

こういった客観的状況にあって、教育の役割は小さくはないと考えられる。例えば、家が貧乏でも学校では平等・対等に人々と関わり、貧乏とは関係なく勉学ができれば、どれだけ子どもは幸せだろうか。それから多文化共生が当たり前ならば、外国人でも普通に子どもたちと関わることができるだろう。教育によってこれだけ我々はよりよい社会を作ることができるのである。法律レベルで教育のあり方を変えるのではなく、今の法律のまま変えることができることもあるのであり、杉並区では実際にそれを遂行・達成している。それを達成するためには、法律以前の我々の慣行・慣習を変えることからはじめなければならないだろう。杉並区の事例では、まず、予算の使い方が大きく違う。杉並区では、予算を「適正配分」にしてある。一律の平等分配ではなく、必要に応じて配分を変えるのがこのやり方である。

さらに、教育を一貫するため「幼保小連携教育」、「小中一貫教育」がプログラミングされるとともに、多様性が容認されている。また、幼児の自然な遊びを系統的にも連続的にも小学校の教育内容とつなげている。最近の子どもは外で遊ばなくなっているが、学習の初期は遊びこそが重要なので、保護者は積極的に子どもを遊ばせるようにして、遊びをしない不自然な環境を作らないようにする。これを幼稚園に丸投げするのではなく、保護者も子どもの教育に積極的に関わることが必要とされている。ここでの指標は、何をやったらいいかに流されずに、何をしなければいいかを考え、それを実践することである。さらに、これらを実現するためには特定の学校だけでなく、地域の人々、学級と別の学級、自学年と別の学年などのように、教育の関係者全員が手を取って協働することが必要になる。

既に少子化対策のところでも論じたように、子育ては夫婦協働なのであって、片親だけがやることではない。「協働」にはこの意味も含まれる。また、最近では公民館などの近隣関係が希薄になっているが、これだと協働で子育てはできないので、公民館等の近隣関係も再構築しなければならないだろう。社会全体で子どもを育てることが必要である。

さらに、日本の全国的状況として、教員の過重労働が挙げられる。この解決がなければ、今後のより良い教育はやろうにもできない。そのためには、これまでの教員がやっていた仕事の内容を変えることが必要になる。まず、これまでは教員が教えるものだった教育を学ぶ人間が選択し、学ぶ人間を主役にした考え方に変える。このように言うと、きまって返ってくるのが、「学ぶ人間の選択にしたら、教員の仕事は無尽蔵に増えてしまうので、一斉一律にしないと教員の仕事は減らない」という見方である。しかしここでは、子ども同士のインターラクション、関わりがあるので問題ない。できている子どもから教わって、できなかった子どももできるようになる。子どもがわかるようになるまで待つことで、自分の時間の中で自分なりに理解を達成していくので、やれるようになったらその後はサッサと課題を片付けていく。つまり、全体の時間で見た場合、教師中心で教えるよりも学習者主体でやった方が、時間もかえってかからなくなる。しかも、学ぶ方の意欲が高まるので、動機づけが生じやる気が出て来る。一斉一律という考え方と違い、皆が違いを認め合うことで協働することができ、お互いに達成感を感じることができる。

「これらの底に共通しているのは、『違いを認めて混ざり合い、委ねて支えて共に探求する』という学習者主体の支援・共同探求の発想です。多様な教育機会を確保する必要を十分考慮しながらも、言語と文化、思想や宗教、肌の色や性別、社会階層、あるいは障害の有無といった違いを越境してみなが共に学び、子どもたちがより『自律的・協同的な学習者』に成長することで、『市民社会』のよりいっそうの成熟を願うのです」（山口裕也 p.101）と筆者は述べている。

このように考えると教育課程は個別化されなければならないことになり、その個別化については、学校、保護者そして学習者三者による合意で成り立つことになる。ここでは、

A学習者が学びたいこと、B教員保護者等が教えたいこと、C公の要請として学ばなければならないこと、これらの三者が交わる部分が教育内容になる。これによれば、学習評価自体が個別化されなければならないのであり、その評価は教員独自のものになる。ここにおいて、教員の専門職としての力量が試される。

杉並区で行われたちゃんとした調査、すなわち学術的な目的と問題設定が明確になっている調査によると、子どもは学年が上になるにしたがって、自己肯定感が下がっている。これについては種々の理由が考えられるが、その理由のなかで最も重要だと考えられるのが、自分にはダメなところがあるので、それを認めて謙虚にならなければならない、ということである。それによって自己肯定感を低くするという、一種の圧力があり、これによる同一化傾向がある。小6ぐらいになると塾に通う子どもが増えるが、これも「みんなが行っているから」といった同一化傾向と関係づけることができる。ここに、「依存と孤立」という主題との関係を指摘することができる。

こういったことが生じるのは、社会と関係がある。日本全体で事実上、共同体はなくなっていっており、その代わりにSNSなどの相互依存的な疑似共同体が生まれ、それに依存しながら、実は孤独になっているというパラドックスが見られる。孤立を感じる個としての子どもが増えている現状は、これによって理解できるだろう。やはりまずは健全な共同体形成が必要であり、それに基づいた相互承認が実現しなければならない。これには当然のことながら、社会的に自立した個が成り立っていなければならない。そしてその底には、共生が成立していなければならず、これによって、自由な生き方が可能になると考えられる。

現実の日本は地域社会と家族の空洞化に加えて、学校自体も空洞化されている。いわば、共同体の完全崩壊に向かっていると考えられる。これに関わっているのが、不登校の増加になる。学校に行かない子どもが増えるのは、学校自体が不要になっていると言えるし、実際、オンラインなどを使ったかなり高度な教育も実現しているので、学校に行かなくても学習は可能になっている。このような状況にあって、なぜ学校に行くのかについて我々は真剣に考えなければならないだろう。

現在学校は、教員一人に子どもが35人から40人という構成で、しかも子どもは黙って先生の言うことを聞くだけなので、教師は右往左往の激務になっている。通常、子どもが黙って教師の言うことを聞く方が教育しやすいと思われるだろうが、子どもは何の反応もしなくてよいので、自ら学ぶ体制がなくなり、つまずきが生じて、かえって教師の仕事が増える。しかし、学習者主体にすれば、子ども同士で学び合う環境になり、かえって教師の負担が減ることになる。教員の仕事量を減らすためにも、学習者中心の教育が望ましいし、そうなると学校へ行く目的がはっきりしてくる。オンラインでは、学ぶ人間中心の教育など実際には不可能なので、そのために学校というオープンな場が必要になる。

杉並区ではこれを実現するために、教師集団を複雑で多様な問題・課題に対応可能な「異職種協働による多様性集団」に変えてきた。教員の仕事量を減らすためには、複数の教師が一人の子どもと関わり、様々な問題を解決できるような指導体制が必要である。つまり、現在まで行われてきた、教師一人が大勢の子どもと対応する指導体制を変えなければならないと考えられる。しかも、これまでは教師の研修がやたらと長く、それ自体が重労働だったため、その是正のために異職種の専門職対話を促進する研修を必要最低限に変えた。業務遂行の中で協働によって日常的な実践力を高めることを、人材と組織に対する支援として重視しなければならない。これによって、予算措置も専門分化した単校配置から小中一貫教育の組み合わせ校＝地域単位の包括的予算措置に変更される。チーム学校による、基本的認識の変換がここにある。

さらにここまでの議論をまとめるために付け加えると、「地域運営学校」の母体となる学校支援地域本部と「学校運営協議会」は、より大きな社会を目指す核になるといえる。これらに関わる大人たちは、「学びの支え手」、「教育の担い手」であるのと同時に、自らが「学び手」でもある。生涯学習の観点からそう言えるのであり、そして、「社会のつくり手」にもなる。

この著作では、第三章は施設・設備について論じられている。現在、全国の学校の建物は、どこも機能性を追求し画一的に作られている。しかし、このような「作りっぱなし」の定型・無味な校舎は子どもたちにふさわしくない。なぜなら、学校とは子どもたちが教育を受ける場であるからだ。美的センスに満たされた機能的建物には、人からの応答力がある。美的センスを身に付けることによって、我々は創造性を身に付けることができる。よって、子どもたちが教育を受ける学校こそ、優れた建物であるべきなのだ。そうすれば、そこで過ごす子どもたちの美意識は自然と磨かれ、創造性が育まれるであろう。

教育委員会の本当の役割

この本では、第四章で教育委員会の実質的な役割が書いてあり、これは全国の教育委員会が参考にしなければならない内容になっている。私としては、この教育委員会の役割を最後にこの本の紹介を終わる予定であるが、その前に、杉並区でずっと行われてきた学力調査について検討することにする。

それによると、この学力調査の目的は、よくやられているような調査とは異なり、明確な目的がある。それは、「『学び方の基礎となる最低限の学力が身についているかどうかを確認する』、『教員が子どもたち一人一人のことを考える』、『教員、保護者、地域等関係者のコミュニケーションツールとする』」である（山口裕也　p.296）。この調査実施前に、筆者の仮説では学校での一学級の最適な子ども数は24名になっており、それをこの調査で確認している。つまり、学術的な実証的な裏付けを調査でとっている。単なる現状理解のための「調査」とは質的に異なることが、これにて理解できるだろう。調査は、すべてこのような形で行わなければならない。

日本の場合、１９８０年代になると、改革の動きが出て来た。これはアメリカから来た新自由主義の影響であり、「小さな政府」そして「市場原理」を基本とした政策になる。これによって、90年代になると、「選抜と自己責任」、「自由競争」がキータームになった。義務教育費国庫負担法に基づいて、国庫負担率は2分の1か3分の1になり、減額分は都道府県に税源を移譲された。結果としてＯＥＣＤ加盟国中、公的支出の割合を指標とすると、２０１６年段階で日本は最低のランクになった。新自由主義による政策で、経済だけでなく、教育の土台自体が崩れたといえる。人々の生存と安全が確保されなければ、基本的なレベルで人は相互不信になってしまう。新自由主義による政策はまさにこれを招いたのである。

　これに加えて、義務教育の土台崩しになったのが、「定数崩し」である。常勤勤務の教員一人当たりの給与で、非常勤を何人も雇うことができるということであり、どこにいっても同じ学校、どこに行っても同じ人々になる、という同一志向が、この背景にある。「違って当たり前」のまさに反対の考え方である。非常勤は低収入でも、「教師をやりたい」という善意を持っている。もちろん、生きていくためには誰でも働かなくてはならないが、教育者はそこに意義を感じ、教育の可能性を信じて、子どもの未来に貢献するという使命感を持っている者がとても多い。その意欲を活かすためには、各々の教師が創意工夫をすることが必要不可欠であるが、これを「定数崩し」が奪ってしまった。結果として、非常勤の人々は教育への熱意を利用される形で、低収入で労働力だけを搾取されている。彼らは教師になっても画一的な教育をすることしか許されず、いつまでも安い給料で働き続けねばならない。

　これに、当時導入されていた学校選択制が加わり、選抜の結果、生き残ることができない学校が生まれた。また、生き残ったところも、「みな同じ」というスローガンに支配されることとなってしまう。当然のことながら、ここで使われたのが学力テストであり、これによって学校間の序列がつくりあげられていった。

新自由主義政策は、いわばこれまで官僚が当然視してきた、縦割り行政で行われており、我々はこの縦割り行政を克服しなければならないと考えられる。そこで、この本では、「行財政が取るべき立場は、校長や教員に『罰』を与えることでも、かといって『賞』を与えることでもなく、すべての子どもによりよい成長のための学びを届ける『支え』となることだろう。ある学校や地域が他と比して社会経済的に苦しい状況にあるなら、格差の拡大再生産を抑止するためにも、教育の担い手となる人材、学び・教育の場となる施設・設備、またそのための予算を、普遍意志のもと、福祉の普遍な促進と拡大に資するように適正に傾斜して配分するべきです」と論じている（山口裕也 p.228)。これが、教育委員会の本来的な仕事にもなるだろう。市区町村教育委員会は、基本的な構造転換を、信頼と忍耐をもって支えなければならない。

教育委員会としては、共治の基本的考え方として、学校支援地域本部（地域学校協働本部）→学校運営協議会→教育委員会→総合教育会議という図式のなかで業務を遂行することになる。教育委員会の歴史を考えると、明治以来の国家主義の考え方に基づきながら、イギリス、アメリカのやり方をその国家主義のもとに取り入れていったが、戦後は国家主義から民主主義に移行したものの、国家主義は企業主義としてそのまま継承された。よって、今後の教育委員会は、共治への過程を通して住民主体の民主主義の実現をできる働きが望まれる。

山口裕也氏の著作をベースに、今後の教育のあり方について考えてきた。これまでの教育委員会一般にとっては、聞きなれない、見慣れない内容もあっただろう。しかし、これは杉並区で実際に行われているのであり、それによる成果もあげられている。このことをまず、認識する必要がある。机上の空論ではないので、ここで書かれてあることについてもし知らないこと分からないことがあれば、それを学ぶ必要があるだろう。

日本のこれまでの教育については、海外で評価されている面もある。例えば、アメリカでは個人の才能を重視するが、日本は個人の努力を重視し、日本の方が個人個人が頑張れるやり方になっているという見解もある。さらに、日本では数学の解答について、別解を独自に子どもに考えさせ、発見・思考型の授業展開をやっているという面もある。また、一斉・一律ではあるが、子どものなかからはそのような形態であっても、それなりの独創性を発揮する場合もある。ただし、これはそれだけの能力が子どもにあることに限られており、ここまで論じてきた、誰もが違い、誰もが学べる環境があるのではない。しかしまた、実際にそのようなケースがないわけではない。

ここまで論じてきた山口裕也氏の見解が、日本の教育界に大きなインパクトを与えるのは、間違いないであろう。それが今後どのように問われるのかについては、各々の教育者からの返答、応答次第となるであろう。

ここに書いてある通りのことが、杉並区では実施されている。大牟田の教育委員会はこれをどのようにとらえるのだろうか。

文献紹介

本書で参照した文献をここで紹介する。

まず、第一章については文献というよりも、大牟田市が作成した資料になる。私としては、こういった資料を作成する目的は、過去の事実について客観的に知り理解するためだろうと思う。もしそうならば、資料の作成者は自分たちがやっていることの問題に気づくべきだろうと思わざるを得ない。そのようにはなっていない、ということが市役所の本質的問題なのではないだろうか。

第二章は、渡辺惣樹『誰が第二次世界大戦を起こしたのか：フーバー大統領「裏切られた自由」を読み解く』（草思社）。フーバー自身が書いた分厚い日本語訳もあるが、訳者によるこの本が、内容がまとめられており役に立つ。ここで論じられているように、アメリカ政治の裏にはこれまでずっと軍産複合体が関わっており、これをコントロールしている国際金融資本がある。これは具体的には、ロスチャイルドとロックフェラーである。この問題には、アメリカ国内だけではなく日本支配も関わっているので、我々は注意深く状況を認識しなければならないだろう。

日米合同委員会は協議内容が秘密のため、これまで文献らしい文献はなかったが、果敢にこれに挑戦している吉田敏浩2016『「日米合同委員会」の研究：謎の権力構造の正体に迫る』（創元社）は必読文献になる。これを読めば、日本は戦後ずっとアメリカに支配されていることが分かる。アメリカ産の農薬も、EU諸国が禁止しているのに日本ではどんどん使われ、アメリカの企業に貢献している。日本の野菜と中国の野菜は農薬の使用量がほとんど同じなので、世界では日本の野菜が警戒されているが、日本人は自国の野菜は世界で最も安全だと思っている。

種子法、種苗法も、アメリカの種子会社が日本で金儲けをできるようにしてある。農薬と種子の発売元は同じであるため、アメリカの農薬産業は、アメリカでは裁判で負けており世界的に不利であるが、日本ではこれを知らせず、どんどんアメリカの農薬を使うように指導している。つまり、日本は農薬を買うことで、世界中で信用されていない企業に金を貢いでいるといえる。山田正彦『売り渡される食の安全』（角川新書）を読むと、これらの内実がよく分かる。

第三章で書いている、日本の米は危ないという話などは、井出留美2020『食糧危機：パンデミック、バッタ、食品ロス』（PHP新書）にも書かれており、さらに鈴木猛夫2003『「アメリカ小麦戦略」と日本人の食生活』（藤原書店）には、アメリカの日本に対する小麦粉戦略が詳しく分析されている。別の笑い話として、米を食べると太るということが女性のなかで言われている。ごはんには水分が含まれているので、炭水化物の量でいえば、パンの方がずっと多いのであり、ごはんを食べると太るという話の根拠は何もない。単なる噂話であるが、この種の話は多く、消費者はもっと賢くならなければならないだろう。日本食は世界的に見ても健康食であって、世界中の人々が日本食を認めている。この本では、これ以外にも現在の我々の食事の裏が書かれてあり、我々の食生活の見直しが必要なことが分かる。

さらに具体的な食糧危機については、島崎治道『食料自給率100%を目ざさない国に未来はない』（集英社新書）に、本書で触れた現実が書いてある。他にも参考とすべき本はあるが、まずはこの本が重要になるだろう。もちろん、農業のやり方を資本主義の方策でやることにも問題があるのであり、筆者の見解をそのまま肯定する必要はないだろう。が、この本自体には説得力のあることも多々書いてあり、大変参考になるだろう。

先に取り上げた吉田敏浩とともに、古くからの友人である奥野修司の『本当は危ない国産食品：「食」が「病」を引き起こす』（新潮新書）も重要文献である。大半の日本人は日本の野菜が危ないことを知らない。お茶にも農薬が入っており、農薬販売会社からの指導をそのまま守って、お茶農家は大量の農薬を使っている。使っている人に悪気はないだろうが、これ自体が相当な問題であろう。厚生労働省は、外国で禁止されている農薬も受け入れ、しかも、安全基準に照らして大量に使ってもいいことにしている。世界中の人々から日本は警戒されてしまっている。まずは、この現実をしっかりと認識しなければならないだろう。

第四章の大牟田の農業については、すべて私が調べたことがもとになっている。参考文献などはほとんどない。大牟田は、三井城下町になった関係で農業については実に冷淡であり、これまで大牟田市行政が農業に手を入れた形跡は何もない。今後の大牟田のまちづくりに田園都市構想を入れて、農業振興をはかり、食料の自給を高める必要があろう。そうすれば環境も整備されて、暮らしやすい大牟田が実現できる。

第五章について、フランスの社会事情を書いている2冊の本を主要参考文献として挙げる。髙崎順子2016『フランスはどう少子化を克服したか』（新潮新書）と、中島さおり2010『なぜフランスでは子どもが増えるのか:フランス女性のライフスタイル』（講談社現代新書）の2冊である。官僚の論文も参照したが、これらの著作に書かれてある社会背景が不明確なので、研究のやり方に根本的問題があるといえるだろう。それが第六章での山田氏による批判に関わってくる。

第六章については、山田昌弘2020『日本の少子化対策はなぜ失敗したのか：結婚・出産が回避される本当の理由』（光文社新書）は官僚の作文とは異なり、日本の文化、社会状況を踏まえて、これまでの政策を欧米から学んだのではない、単なる「ものまね」でしかないことを明らかにしている。これらを踏まえて、今後の対策について論じたまっとうな内容の本である。

第七章については、私が書いた子どもの体つくりの本が参考になる。原尻英樹・木寺英史2018『日本人に今いちばん必要な超かんたん！「体つくり」運動』（学芸みらい社）。体つくりは現代の体育理論でしか考えない方が主流になっているので、このような内容の本は他にない。しかしながら、国際的には日本の伝統的武術の動きは学術的にも関心が寄せられており、単なる「近代的運動」という考え方では、我々の体つくりについては考えることができない。この著作に即して言えば、前近代の身体操作を応用することで、我々はよりよい身体を身に付けることができる。具体的には武術・武道の身体技法になる。

第八章は日本の教育の歴史についてである。これについては、私は文化人類学、教育人類学、政治学専攻であり、しかも、九州大学教育学部出身なので、自分の専門領域の一部になっている。そのため、別段参考文献が必要な分野にはなっていない。

第九章は、2021年1月に出版された本である、山口裕也2021『教育は変えられる』（講談社現代新書）を参考にしている。学会、教育界からの評価が出される前に取り上げているが、この本は今後、方々に影響を与える本になるであろう。本文に書いているように、単なる学者の見解ではなく、実際に杉並区において、この本のタイトル通りのことを実践したうえで、そのデータを元にして書かれた本なのであり、これほど説得力のある本はないであろう。

あとがき

本書はまず、大牟田における水害を取り上げて、行政の問題について考え、それに基づき今後の大牟田にまちづくりの上で重要だと考えられる、1．食糧危機対策、2．少子高齢化対策、3．教育の問題と課題、について考えて来た。日本国政府がそれなりの対応をするべきことであり、しかも、日本存続がかかっている大問題でもあるが、実際は大して検討されていない。ことは、我々が今後生存できるかどうかがかかっているので、我々の存続のために、地方自治体でできることはドンドンやっていこうとこれらについて書いた。これらは大牟田だけでなく、日本国中の地方自治体の重要課題であり、今のうちに対応を考えておかないと、手のつけられない状況になるだろう。

我々が生き残るために書いた本である。事実、今後地方自治体が生き残れるかどうかは、これから10年程度で決まるだろう。第二、第三の夕張（夕張は２００７年に財政破綻になった）だらけになるのはほぼ間違いない。にも拘わらず、旧来からあるアプローチ、国から助成金をもらってくることが、「地域づくり」だと誤解されている。既に、緊縮財政が当たり前の現在の日本国政府にとって、助成金など期待できるはずがない。自分たちで生き残れるような財政対策をたてなければならなくなっている。

大牟田の場合、分かりやすい実例がネーブルランドになるだろう。始まって、わずか3年でこのテーマパークは失敗して、莫大な借金が残された。企業ならば賠償しなければならないだろうが、地方自治体なので、「ごめんなさい」で済んでいる。しかも、その失敗原因の解明は表向きだけで、実質的にはほとんどなにも結実していない。「やれば、それでいい」のであって、成果があろうがなかろうが、どうでもいいのである。

そろそろ、大牟田人の本当の力を発揮するときがきたのでないだろうか。そう思ってくれる人が増えることを私は願う。

【著　者】

原尻 英樹（はらじり・ひでき）

立命館大学産業社会学部教授（エスニシティ論担当）。1958 年福岡県大牟田市生まれ。九州大学教育学部卒業。同大学大学院教育学研究科博士後期課程中退。ハワイ大学政治学博士（Ｐｈ．Ｄ.）、九州大学教育学博士（教育人類学）。放送大学教養学部文化人類学助教授等を経て、現職。

専門分野：文化人類学、教育人類学

著書：
『「在日」としてのコリアン』1998 講談社現代新書
『心身一如の身体づくり 武道、そして和する"合気"、その原理・歴史・教育』勉誠出版 2008
『しなやかな子どもの心身を求めて 義務教育化された武道教育』勉誠出版 2012

地方都市の生存戦略
大牟田のこれからのまちづくり

令和三年八月三十日　初版発行

著　者　原尻英樹
発行者　田村志朗
発行所　㈱梓書院
福岡市博多区千代三―二―一
電話〇九二―六四三―七〇七五

印刷・製本／大同印刷株式会社

ISBN978-4-87035-721-1